Nous remercions le ministère du Patrimoine canadien,
la SODEC et le Conseil des Arts du Canada
de l'aide accordée à notre programme de publication

Patrimoine canadien | Canadian Heritage

Conseil des Arts du Canada

Canada Council for the Arts

ainsi que le Gouvernement du Québec
– Programme de crédit d'impôt
pour l'édition de livres
– Gestion SODEC.

Illustration de la couverture :
Gérard Frischeteau

Couverture :
Conception Grafikar

Édition électronique :
Infographie DN

Dépôt légal : 4e trimestre 2004
Bibliothèque nationale du Canada
Bibliothèque nationale du Québec

123456789 AGMV 0987654

ISBN 2-89051-881-7
10840

Confessions d'une fille sans cœur

L'édition originale en langue anglaise
de cet ouvrage a été publiée par
Groundwood Books/Douglas & McIntyre sous le titre
True Confessions of a Heartless Girl

Cette traduction n'aurait pas été possible
sans l'aide du Conseil des Arts du Canada

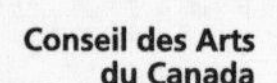

Canada Council
for the Arts

Données de catalogage avant publication (Canada)

Brooks, Martha 1944-

[True confessions of a heartless girl. Français]

Confessions d'une fille sans cœur

(Collection Deux solitudes, jeunesse ; 39)
Traduction de : True confessions of a heartless girl.
Pour les jeunes de 14 ans et plus.

ISBN 2-89051-881-7

I. Parenteau-Lebeuf, Dominick, 1971- II. Titre
III. Titre : True confessions of a heartless girl. Français.
IV. Collection :Collection Deux solitudes, jeunesse ; 39

PS8553.R663T7814 2004 jC813'.54 C2004-941515-8
PS9553.R663T7814 2004

Martha Brooks

Confessions d'une fille sans cœur

traduit de l'anglais par
Dominick Parenteau-Lebeuf

ÉDITIONS
PIERRE TISSEYRE

5757, rue Cypihot, Saint-Laurent (Québec) H4S 1R3
Téléphone: (514) 334-2690 – Télécopieur: (514) 334-8395
Courriel: ed.tisseyre@erpi.com

Je dédie ce livre aux femmes
qui embellissent ma vie,
qui me nourrissent quotidiennement
de leur présence physique,
à la mémoire et au nom de l'ancestrale
communauté féminine du rêve.

Martha Brooks

Le romancier américain,
John Gardner, je pense que c'était lui,
a dit qu'il n'y a, en réalité, que deux
types d'intrigue : un étranger arrive en
ville et un étranger quitte la ville.

William Least Heat-Moon,
PrairyErth

Première partie

L'ÉTRANGÈRE

1

La tempête de juillet soufflait sur la vallée et agitait avec fracas les flancs des collines de la localité de Pembina Lake. Il était dix heures du soir ; des veines de lumière transperçaient le firmament, une immense matrice ronde. Dans le ventre de cette déesse, la pluie tombait dru ; les fermiers sortaient leurs faucheuses des fossés, les résidants rentraient chez eux en tentant d'éviter les flaques, et les femmes fermaient les fenêtres des chambres, en essuyaient les rebords, puis bordaient leurs enfants endormis.

Dolorès Harper téléphona à sa vieille amie Mary Reed et lui demanda si elle aimerait avoir de la compagnie, et Mary – qui célébrait la naissance imminente du premier de ses arrière-petits-enfants – lui répondit qu'elle mettait l'eau à bouillir et qu'elles pourraient se faire un petit penny poker[1] pour passer la soirée jusqu'à ce que la nouvelle leur parvienne.

Lynda Bradley, la propriétaire du Café Molly Thorvaldson, reconduisit son dernier client jusqu'à la porte puis, plutôt que de tourner l'écriteau OUVERT vers FERMÉ, retourna compter sa caisse. Au deuxième étage du bâtiment de brique centenaire, son fils de cinq ans, Seth, somnolait devant la télé, une cuisse de poulet à moitié mangée dans son petit poing.

Au début, Lynda essaya d'ignorer le pick-up qui se garait devant la porte du café. Ses phares clignotèrent brièvement à travers les fenêtres, puis s'éteignirent. Au cours de l'après-midi, un mal de tête lancinant l'avait assaillie et, en soirée, il s'était amplifié alors même que chutait la pression barométrique. Elle ne souhaitait donc qu'une chose : que cette personne change d'idée, disparaisse dans la nuit et la laisse en paix. Elle pensa aller tourner l'écriteau, mais s'il s'agissait d'un voisin, d'un fermier ou d'un client régulier, elle en entendrait parler jusqu'à l'année prochaine. Elle compta donc sa caisse et attendit. S'il voulait entrer, pourquoi ne le faisait-il pas simplement au lieu de rester là, dans le noir ?

---

1. N.D.T. Un penny représente la centième partie de la livre sterling et de la livre irlandaise. Dans le contexte canadien, le penny poker se joue donc avec des pièces de un cent.

Elle alla à la fenêtre et jeta un œil à travers les gouttes qui ruisselaient tristement sur la vitre. Elle n'y voyait rien de rien. Exaspérée, elle se rendit à la porte, l'ouvrit toute grande et se planta là jusqu'à ce que le conducteur, une petite personne, un étranger finalement, comprenne le message, saute hors de l'habitacle, coure à travers les flaques et pénètre dans le café en passant à côté d'elle.

Lynda ferma la porte. La fille, toute tremblante, déjà assise au comptoir sur l'un des tabourets, aplatissait nerveusement ses épis de cheveux blonds mal coupés en regardant dans sa direction. Puis elle détourna son regard vers le long comptoir brillant.

« — Je suis sur le point de fermer », dit Lynda. Quelque chose dans les yeux de cette jeune étrangère, une sorte de sombre prière, la retint de dire qu'en fait, elle *était* fermée.

« — Je peux avoir un café ? » Courte inspiration.

« — Bien sûr. » Lynda versa le reste du café – qui n'était plus tout à fait frais – dans une grosse tasse, qu'elle déposa devant la fille. Elle s'écarta du comptoir et regarda les doigts maigres et tremblants – quatre d'entre eux étaient parés de joncs d'argent, deux à chaque main – ouvrir quatre contenants de crème, les verser dans le café, puis ajouter trois cuillérées de sucre combles.

« — La mort blanche. » Sourire triste en direction de Lynda. Puis, s'arrêtant juste avant la quatrième cuillérée, elle remua le cocktail sucré couleur sable.

« — Eh bien, d'où est-ce que t'arrives ? » Faire gaiement la conversation, une politesse inévitable même à la fin d'une journée lorsque ses chevilles et ses poignets l'élançaient autant que son crâne.

Mais la fille ignora la question, examinant plutôt les lieux, regardant le papier peint (Lynda savait à quel point il était déprimant) et les banquettes en bois massif le long du mur ouest, là où Joe Hartman, le propriétaire précédent et amant occasionnel de sa mère, s'assoyait à la fin de chaque journée, une odeur de frites lui collant au corps.

Enfin, elle parla. « — Je sais pas pantoute où je suis. »

« — T'es à Pembina Lake, répliqua sèchement Lynda. Ville de, pour être plus précise. Le lac lui-même est plus bas, au bout de la rue principale. »

Pas de réponse. L'adolescente se pencha seulement sur sa tasse et souffla sur les petits nuages de vapeur, en jetant de temps à autre un coup d'œil vers la porte.

Lynda fit une nouvelle tentative. « Toute une tempête. Ça doit être l'enfer sur la grand-route. »

Les dents blanches claquèrent contre le bord de la tasse. « — Y'a un maudit chien sale qui a manqué de me faire prendre le champ. » Pause. « Est-ce qu'il y a un motel par ici ? »

« — Plus maintenant. Un petit pyromane de douze ans a mis le feu au seul qu'on avait, l'automne passé. Personne l'a reconstruit. »

Les épaules de la fille s'affaissèrent. Des lunes orange métallique ornaient ses ongles, restes écaillés d'un vernis bon marché, du genre qui s'épaississait rapidement dans la bouteille. Elle avait l'air d'avoir à peu près dix-sept ans, un âge qui était familier à Lynda. Elle fut transportée dans le temps, dans la classe d'anglais où elle avait enseigné – il y avait une éternité de cela –, dans une école secondaire d'un quartier défavorisé de Winnipeg. Là, un regard égaré pouvait signifier une foule de choses : des parents alcooliques, la faim, un petit ami violent, la drogue, des ennuis avec la justice ; la vieille spirale infernale, quoi. La peur s'accrochait à cette fille et, ça aussi, c'était une vision familière, comme si elle avait fait un mauvais coup et était à un cheveu de se faire coincer.

Tandis que l'adolescente jetait une fois de plus un œil vers la porte, Lynda pensa au pick-up. Peut-être devrait-elle appeler la police.

« — Écoute, lui dit-elle. J'ai un gros mal de tête et je pense que t'es dans le pétrin. Ça fait que je vais couper au plus court et te le demander : es-tu dans le pétrin ? »

La fille eut un petit mouvement de tête écœuré, un relâchement soudain de la lèvre inférieure, qu'elle avait toute sèche ; Lynda sut qu'elle avait vu juste. Et son instinct lui dit que, si elle était brillante, elle laisserait l'ado remonter dans le camion et se faire avaler par la tempête. Et la vie poursuivrait son cours normal. Puis elle repensa au jour où elle-même avait eu des ennuis, au jour où elle était revenue en ville, il y avait trois ans et demi de cela, durant un âpre blizzard de février. Dolorès les avait recueillis, son petit garçon et elle. La vieille femme n'avait pas à le faire. Personne n'était obligé à quoi que ce soit ; la vie n'exigeait pas qu'on se charge du bagage des autres. On n'avait pas à ouvrir sa porte pour accueillir plus d'ennuis que ceux qu'on avait déjà.

Lynda prit une longue inspiration, regarda la créature débraillée qui avait atterri dans son café et dit avec un terrible serrement de cœur :
« — Alors, dis-moi donc ce qui se passe. »

2

La pluie tomba toute la nuit, sans relâche, emplissant les gouttières, tourbillonnant en descendant le long des murs, formant des flaques miroitantes, trempant les colverts et leurs rejetons nichés sous de grandes feuilles vert pâle dans les chênaies qui bordaient le lac.

Dolorès Harper et Mary Reed, toujours dans l'attente de la naissance du premier bébé de Ronnie, le petit-fils de Mary, étaient assises dans la cuisine de celle-ci, décorée de dix-sept plantes en pot dont plusieurs fleurissaient dans de rutilantes boîtes en fer blanc, serrées les unes contre les autres sur les rebords des fenêtres à la peinture cloquée. Elles avaient fini leur partie de penny poker – Dolorès était plus riche de cent trente-huit cents – et poursuivaient leur soirée en parlant de Lynda Bradley.

« — Je prie pour elle tous les jours, dit Dolorès. Je demande au Créateur de lui envoyer quelqu'un de bien. Pas nécessaire qu'il soit beau ni même jeune. En fait, ce serait même mieux. »

« — Ce dont notre Lynda a besoin, renchérit Mary, c'est d'être secouée ! Elle a quoi, cinq diplômes ? »

Dolorès montra deux doigts.

« Peu importe. Elle devrait s'en servir. Et elle fait des hamburgers. Des hamburgers ! Et mauvais, par-dessus le marché. Pas mangeables. Du genre pré-emballés. Pas surprenant que les gens l'appellent le *Café Empty* au lieu du *Café M.T.*[2]. Quoi ? Fais-moi pas cet air-là. C'est vrai. C'est quoi, sa clientèle ? Des buveurs de café qui prennent un repas de temps à autre pour l'encourager. Les gens sont comme ça. Et ceux qui ont des chalets, qui viennent dans le coin trois mois par année. Et les crêpes du samedi matin, qui sont très populaires depuis que tu lui donnes un coup de main. Mais ça, c'est trois fois rien. Les gens font vingt minutes de route pour manger un vrai repas à Willow Point. Veux-tu m'expliquer ce qui va pas dans sa tête ? »

---

2. N.D.T. Jeu de sonorités intraduisible. En anglais, les initiales de Molly Thorvaldson (M. T.) se prononcent comme le mot *empty*, qui signifie vide. Le *Café M.T.* devient donc l'homonyme de *Café Empty*, soit le Café Vide.

Dolorès ouvrit la bouche, décocha un regard à son amie, puis se ravisa et ne pipa mot. Il n'y a pas si longtemps, elle aurait commencé une dispute. Dernièrement, elle n'avait plus le cœur à ça.

Mary leva les bras au ciel. « La pire chose que Joe Hartman pouvait faire, c'était de lui laisser cette place-là en mourant. Comme s'il lui devait quelque chose ! Non. Maintenant, elle va s'installer dans sa misère et fuir la vie comme tout le monde ici. »

Essayait-elle d'engager la bataille ? Dolorès ne mordit pas à l'hameçon et son esprit dériva vers ses propres mauvais jours, un an plus tôt. Qu'est-ce que Mary connaissait de la vie ? Avait-elle perdu son unique enfant ? Elle avait plusieurs filles. Sans parler de ses nombreux petits-enfants. Et là, elle s'apprêtait à avoir une arrière-petite-fille.

Mary se pencha et fit une nouvelle tentative. « Et c'est pas tout. Il y a son fils, aussi… »

« — Bien trop gâté », acheva Dolorès, incapable de se retenir.

Satisfaite, Mary se carra dans sa chaise. « — Exactement, pavoisa-t-elle. À cinq ans, elle le traite encore comme un bébé. Elle s'accroche à lui comme à une bouée. C'est pas sain. Elle va retarder son développement. Tu vas voir. »

Dolorès tendit la main pour prendre le pot de confitures que Mary et elle avaient faites l'automne dernier avec des pommettes et des masses de cerises à grappes qu'elles étaient allées cueillir sur la colline aux lys. C'était juste avant que Mary ne cesse de conduire sa voiture sans raison valable, du jour au lendemain. À présent, elles n'allaient plus nulle part. Dernièrement, elles semblaient seulement suivre le mouvement de leur amitié. Leur vieille intimité avait disparu. Elles ne riaient presque plus. Avant, elles pouvaient rire jusqu'à faire dans leurs culottes, comme deux petites filles.

Dolorès soupira. Le cœur lourd, elle enfonça la cuiller dans le pot de confitures et étala le contenu sur un petit rectangle de banique[3] frite qu'elle avait apportée pour grignoter avec son amie. Elle se dit en elle-même que Lynda élevait très bien Seth. Il fallait laisser les enfants être des enfants. La vie était courte. Plus courte pour certains. Quelle bonne chose de ne pas savoir ce que l'avenir nous réservait ! Quelle bonne chose que cela nous soit épargné !

Le téléphone sonna. La femme de Ronnie, Clarissa, venait de mettre au monde une petite fille, un trésor hurlant au visage rouge, qui se faisait déjà appeler Caitlin Louise.

---

3. N.D.T. Pain sans levure d'origine amérindienne.

Dolorès aurait sans doute dû rester un peu plus longtemps – pour célébrer l'événement avec sa vieille amie –, mais elle ne pouvait s'empêcher de penser qu'elle-même ne tiendrait jamais dans ses bras un petit-enfant ou un arrière-petit-enfant de sa descendance. Sans un mot, elle ramassa sa casquette des Randonneurs de la vallée de Pembina, l'enfonça sur sa tête et laissa Mary à sa joie, alors qu'elle parlait encore à Ronnie.

3

Aidez quelqu'un et vous en êtes immédiatement responsable. Et s'en suivent alors des imprévus auxquels vous n'êtes pas préparé. Comme ce chiot labrador ramassé l'été dernier et dont tout le monde, bien sûr, ignorait tout. Et maintenant, après trois cents dollars de vaccins, de frais de castration, de nourriture, de jouets et autres accessoires, la chienne était quasiment propriétaire de la place. Même que les clients protestaient si Lynda la renvoyait dehors après qu'elle se fut faufilée à l'intérieur par une journée trop chaude. Ils la regardaient comme si elle condamnait la pauvre bête à un coup de chaleur. Impossible de gagner dans une situation où vous preniez ce genre de responsabilité.

Lynda sortit tout de même le lit de camp et l'installa dans l'étroite chambre d'amis à l'odeur de renfermé – qui lui servait aussi de bureau –, puis elle ouvrit la fenêtre qui donnait sur la rue. Le pick-up brillait sous la pluie, toujours garé là où la fille l'avait laissé quelques heures plus tôt. Elle prit une pile de factures sur son bureau et sentit une vague de découragement déferler sur elle avant qu'elle ne les fasse disparaître dans le tiroir.

« — La salle de bain est au bout du couloir, informa-t-elle la fille à l'air renfrogné, qui se tenait sur le bord de la porte. Je vais aller coucher mon fils. Puis ce sera à moi de me mettre au lit. Je te suggère d'en faire autant. »

Plus tard, alors que toute la bâtisse s'était apaisée et que l'air humide de la nuit filtrait à travers les fenêtres, l'adolescente, incapable de dormir, se leva dans la pénombre, se glissa dans le salon et s'affala sur le sofa, là où, plus tôt, le petit garçon avait été allongé. Elle chercha la télécommande à tâtons le long des coussins, mais sa main se referma plutôt sur une cuisse de poulet gluante, à moitié rongée. Elle la jeta sur la table à café en grognant de dégoût. La viande frappa la surface de bois avec un son creux.

La chienne apparut, telle une ombre, puis s'assit devant elle, sa queue tapant avec force contre le plancher.

« — Décampe ! » lui siffla-t-elle.

Mais l'animal ne bougea pas. Alors, la fille se pencha vivement vers l'avant, ramassa la cuisse de poulet et la lança vers la bête qui sauta en l'air et l'attrapa, avant de s'affaisser sur le plancher dans un soupir de contentement. Un éclair zébra le ciel et illumina soudain la pièce, éclairant la gueule de la chienne tandis que l'os craquait sous ses crocs et se transformait en petites flèches pointues.

4

À soixante-seize ans, Dolorès Harper avait l'énergie d'une femme de soixante ans. Et tous les samedis, elle aimait donner un coup de main à Lynda au Café Molly Thorvaldson. C'était une activité comme une autre et ça l'aidait à garder le moral.

L'an passé, lorsque sa fille avait été emportée par la leucémie à trente-six ans – l'âge qu'avait Lynda aujourd'hui –, elle avait manqué un samedi. Lorsqu'elle était revenue la semaine suivante, Del Armstrong, un fermier célibataire d'une cinquantaine d'années, lui avait tendu timidement une carte alors qu'elle déposait sur la table ses trois œufs tournés et son spécial crêpe.

« — Mes condoléances », avait-il dit.

Elle s'était tenue là, à côté de lui, stupéfaite, contente, triste.

« Vous la lirez plus tard », avait-il ajouté en lorgnant l'enveloppe bleue. Puis il avait murmuré, l'air morne : « J'ai perdu mon grand frère Danny. Ça fait trente-quatre ans cette semaine. »

« — Je me souviens de Danny », avait dit doucement Dolorès.

« — J'imagine que oui », avait répondu Del.

Elle avait posé sa main sur l'épaule de l'homme, un geste qu'elle aurait dû faire, il y a bien des années. Tout le monde se souvenait de Danny, celui qui s'était noyé, juste ici, dans le précieux lac. Une tragédie locale. Dolorès s'était remémoré Del à la suite de l'événement malheureux, Del qui avait perdu sa jeunesse dans la boisson avant de découvrir les A.A. et le travail compulsif et ensuite, de construire cet ajout au chalet de Danny au bord de la plage, chalet dans lequel le défunt avait à peine habité.

De retour dans la cuisine, elle avait lu, à travers ses larmes, une citation que Del avait retranscrite à la main de son écriture en pattes de mouche :

La terre sait ce que son peuple sait
Le temps ne cesse de passer
Les saisons comme le deuil
S'enfuient en un clin d'œil.

Lyleton Montgomery,
poète cow-boy

Elle avait caché la carte dans son tablier et ne l'avait montrée à personne, pas même à Lynda.

Puis, plus tard, durant ce terrible premier mois, Lynda lui avait donné un chandail rose acheté à Winnipeg, sur le devant duquel elle avait fait imprimer en grosses lettres : LA PLUS VIEILLE SERVEUSE AMÉRINDIENNE AU MANITOBA. Au dos du coton ouaté, on pouvait lire l'autre chose dont Dolorès aimait se vanter : JE TRAVAILLE POUR JÉSUS. Le chandail faisait son effet. Et les prétentions qu'il affichait étaient faites pour être partagées. De plus, il la faisait rire et allégeait son cœur. La vieille femme le portait tous les samedis pour aller travailler au café, même par les journées les plus chaudes.

Ce matin, elle avait quitté la maison un peu plus tôt qu'à l'habitude pour marcher le long du lac qui, telle une grande robe verte scintillante, bruissait et frémissait après la pluie, rejetant des pierres roses ou, encore, si vous y regardiez de plus près, une pointe de flèche, un grattoir ou la partie douce et satinée d'un os de bison si vieux qu'il avait pris la couleur d'un thé au lait. La pluie apportait de jolis cadeaux. Et Dolorès en ramassait certains en faisant une petite prière et en rendait d'autres à la nature.

Dix minutes plus tard, elle était en ville et passait devant la poignée de commerces qui bordaient la courte rue principale : la station d'essence Co-op, le bureau de poste, le salon de coiffure de Mildred, le centre communautaire, la cour à bois Olifant & fils – fermée depuis six ans, mais dont les bâtiments étaient encore à vendre –, la caisse populaire, la bâtisse en ruines qui avait jadis abrité la boulangerie Sandee et, avant elle, le restaurant chinois (où un vieil homme s'était pendu au plafond de la cave en 1956, une autre tragédie locale), l'épicerie Shore et, juste en face, le Café Molly Thorvaldson, qui, à travers un siècle de hauts et de bas, de multiples propriétaires et d'autant de noms, était demeuré un café.

Il était près de sept heures quand elle y arriva. Elle déverrouilla la porte avec son double de clé et entra. À l'intérieur, elle entendit Lynda qui remuait déjà la pâte à crêpe pour le spécial du samedi matin. Elle laissa la porte ouverte pour permettre à l'air doux et frais du petit matin lavé par la pluie de passer par la moustiquaire. Puis elle se dirigea vers l'arrière et entra dans la cuisine.

Lynda se détourna de son gros bol à mélanger en métal pour l'accueillir. Ce matin, sa peau avait un éclat particulier qui rappela à Dolorès cette chanteuse celtique à la crinière blond vénitien, Loreena McKennitt, que Lynda adorait. Elle avait cette même beauté naturelle aux multiples teintes dorées, le genre de femme que Raymond aurait décrite comme une « petite merveille ».

Raymond. Son mari. Il lui manquait, lui aussi. Il y avait vraiment trop d'anges là-haut à présent. Elle soupira. Raymond resterait le grand amour de sa vie, pour toujours et à jamais, bien qu'il ait été plus souvent qu'autrement l'emmerdeur des emmerdeurs.

« — Bonjour, Lynda. C'est à qui le pick-up devant le café ? »

« — Hier soir, au beau milieu de la tempête, juste comme je m'apprêtais à fermer, une fille est entrée prendre un café. » Le fouet remuait rapidement le mélange et résonnait contre les parois du bol. Lynda s'arrêta, repoussa du poignet une mèche de cheveux frisés qui s'était échappée de sa queue de cheval, puis se remit à battre la mixture. « Vous en croiriez pas vos yeux, Dolorès. Cette fille-là a l'air tellement paumée ! J'ai rien pu en tirer. Je me suis sentie comme du temps où j'enseignais à R.G. McGrath, à Winnipeg. »

« — Donc, tu l'as laissé passer la nuit ici, dit la vieille femme en secouant la tête. Une parfaite inconnue. »

« — Oui, je l'ai laissé dormir ici, répondit Lynda sur la défensive. Elle était perdue. Il était tard. Il faisait un temps de chien. Et, bien sûr, je me suis sentie responsable. »

« — Bien sûr », fit Dolorès en s'adoucissant. Tout intelligente qu'elle fut, Lynda se sentait responsable de tout. N'aurait probablement pas quitté son horrible mari, ce profiteur, ce bon à rien, s'il ne s'était pas avéré aussi violent. Enfin, ils devraient tous se mettre à genoux et remercier le ciel qu'elle l'ait laissé. « Où est-ce qu'elle est, là ? » demanda Dolorès.

« — J'ai monté le lit de camp dans mon bureau. Elle est là, elle dort. »

« — Alors, laissons-la dormir. Quand elle se réveillera, on la nourrira bien comme il faut. Après ça, si tu veux bien, j'aurai une petite conversation avec elle. »

« — Je devrais pas vous embêter avec ça. »

« — C'est rien », répliqua rapidement Dolorès. Et c'était vrai. Aujourd'hui, pourtant, elle devrait déployer plus d'énergie qu'à l'habitude pour y arriver.

« — J'apprécierais beaucoup. Vous avez une façon de faire dire la vérité aux gens. On dirait que vous faites ça sans effort. »

« — C'est un cadeau des Grandes Puissances, lui répondit fermement Dolorès. J'ai pas de mérite. » Mais son cœur se gonfla tout de même un peu de fierté.

5

Les clients commençaient à débarquer vers huit heures pour le spécial du samedi matin. Dans la cuisine, Lynda faisait griller du bacon, tournait les crêpes, brassait le jus d'orange. Elle quitta un moment ses fourneaux pour aller verser de l'eau dans le percolateur. Instantanément, le liquide odoriférant, dont le goût n'était jamais aussi prenant que l'arôme, se mit à faire des bulles et à siffler en coulant en filets dans les cafetières de verre.

Ce matin, le grand Del Armstrong, son chapeau de cow-boy perché derrière sa tête, fut le premier à passer la porte. Lorsqu'il la vit, il se découvrit, rougit, évita son regard et se retrancha rapidement dans son petit monde intérieur.

Elle écouta d'une oreille ce qu'il disait à Dolorès : « — Je dois me remplir la panse. J'ai des courses à faire. À Brandon. »

C'était sa façon de dire qu'il prendrait la même chose que samedi dernier. Et que le samedi d'avant...

« — Et qu'est-ce que tu vas chercher en ville, aujourd'hui ? » lui demanda Dolorès.

« — Du bois de construction. Je vais rallonger le patio. Après les foins. »

« — Tu travailles encore sur le vieux chalet de Danny ? »

« — Ouais. »

« — Ça va être beau une fois fini, dit-elle. Mais, bien sûr, le plaisir est dans la planification. »

Elle suivit Lynda en cuisine et lui murmura : « J'ai jamais rencontré personne qui dépense autant de temps et d'argent sur une maison qu'il utilise à peu près pas. J'imagine que ça le garde occupé. On a tous besoin de quelque chose. »

Lynda alla à la cuisinière, retourna quelques crêpes, épongea le bacon, mit trois œufs à frire pour Del et s'écria d'un ton découragé : « — Seth, ne nourris pas le chien avec ta cuiller, veux-tu ? »

« — Y'a quelque chose qui va pas, maman, dit Seth en essayant de remonter la grosse babine de Tessie avec le manche de sa cuiller. Elle veut pas manger. »

La chienne s'affaissa sur le plancher et roula ses yeux niais en direction de Lynda, qui se mit à rire.

La fille arrivée la veille au soir descendit l'escalier arrière et entra dans la cuisine, ébouriffée, ses cheveux blonds maintenant secs pointant dans toutes les directions. Elle observa la scène pendant un instant, puis se glissa furtivement vers la table du coin, près de la fenêtre, et s'y installa.

« Salut, dit Seth. J'essaie de nourrir mon chien. » Il posa sa main sur la tête de l'animal. « Es-tu malade, Tessie ? »

La fille bâilla, croisa ses bras nus sur sa maigre poitrine et frissonna. Elle portait un t-shirt bleu et un pantalon taille basse vert foncé.

« Tu peux la flatter, si tu veux. Vas-tu rester longtemps ? On pourrait aller se baigner. Ma meilleure amie venait se baigner avec moi avant, mais elle a déménagé. »

Avec optimisme, il regarda la fille, qui arborait une drôle d'expression. Son visage était rouge et moite. Elle se leva précipitamment, pénétra dans la petite salle de toilette qui jouxtait la cuisine et en claqua la porte. Il l'entendit produire d'étranges bruits, comme si elle sanglotait ou vomissait, ou les deux en même temps.

Sa mère le regarda en secouant la tête, comme lorsqu'il avait fait une bêtise. Comme cette fois-là, la pire de toutes. Il avait trouvé la montre de Del Armstrong sous une table où elle avait dû glisser de sa poche. C'était une montre de poche à l'ancienne qu'on devait remonter. Seth adorait le tic-tac qu'elle produisait. Il se sentait comme un géant en regardant son cadran parce que celui-ci possédait une minuscule aiguille en forme de gerbe de blé.

Même s'il savait que Del était inquiet et s'était enquis auprès de tous de sa montre, il l'avait gardée longtemps, en secret. Jusqu'à ce qu'il se mette à faire des cauchemars. Tante Dolorès – avec ses yeux aussi gentils que Jésus qui pouvaient dénicher un mensonge alors même que vous tentiez de ne pas y penser – l'avait fait avouer.

Il se demanda ce que cette fille avait fait. Il se demanda ce qui pouvait être pire que de voler la montre en or de quelqu'un.

La fille sortit finalement des toilettes. Juste comme elle s'affaissait sur une chaise, tante Dolorès revint en cuisine et s'approcha de lui, pencha son visage vers le sien et baisa son front – sa peau aussi douce qu'une vieille chemise de nuit –, ce qui le fit sourire. Elle se tira ensuite une chaise, s'assit entre eux deux et dit : « — Les jeunes filles se mettent toujours dans le pétrin. » L'adolescente ne dit rien. « Des fois, poursuivit Dolorès en prenant rapidement les mains de la fille dans les siennes, ça fait du bien de sortir ce qu'on a en dedans. »

Deuxième partie

CONFESSIONS

1re CONFESSION : L'ORGUEIL

NOREEN, 12 ANS

Gladys, dix-neuf ans, la demi-sœur de Noreen, le jour de son mariage. Ses doigts tremblants appliquent le rouge à lèvres – cerises sauvages –, enlèvent le surplus avec un papier-mouchoir et en appliquent de nouveau. Elle entraperçoit Noreen dans le miroir tandis que celle-ci passe derrière elle, une ombre.

« — Ôte-toi de là ! lui crie Gladys. Tu me stresses à mort. »

« — Ta gueule ! »

Noreen s'affale sur le bord du lit double qu'elles partagent depuis sept ans. Elle examine les souliers vernis bon marché que sa mère lui a achetés pour ce petit mariage de merde. Au Payless Shoe Store. Ils ont des courroies sur le dessus. Des souliers de bébé.

« — Écoute, dit Gladys, je sors d'ici, mais je sors pas de ta vie. Gerry et moi, on va être à vingt minutes d'autobus de la maison. Tu peux venir nous voir quand tu veux. »

« — Ben oui, lance Noreen, boudeuse. Le petit couple modèle. Toi pis Chose Bine. »

« — Je suis sérieuse », rétorque sa demi-sœur.

« — Ben oui. » Elle essuie rapidement une larme qui a glissé sur sa joue. Puis elle se lève, se plante derrière Gladys et lui dit : « Tu fais dur. »

2e CONFESSION : LA LUXURE

NOREEN, 14 ANS

Son beau-père, Bob le Deux-de-pique, lui bloque l'entrée de la cuisine, le bras bien appuyé sur le montant de la porte, la bedaine tombant par-dessus la ceinture, un faux sourire aux lèvres.

« — T'as l'air de penser que tu sors, toi, hein ? »

« — C'est ça, oui », réplique-t-elle.

« — Avec ton chum, hein ? Celui avec les tatouages ? »

« — C'est ça, oui. » Elle a faim, mais il est hors de question qu'elle passe à côté de lui pour entrer dans la cuisine. Elle déteste la façon dont il la regarde. Non pas qu'il lui ait déjà fait quelque chose. En tout cas, rien comme ça. Il *regarde :* c'est ça, son crime. Elle aimerait être cette ancienne créature grecque, Méduse – celle qui avait des serpents à la place des cheveux –, qui changeait les gens en pierre d'un simple regard. Elle lui lance un de ses regards à elle, un regard empoisonné. De cette façon, il n'osera plus la reluquer. Mais lorsqu'elle longe le corridor qui mène au vestibule, elle peut sentir ses yeux vicieux qui fixent son corps. Elle perd l'équilibre en essayant d'enfiler ses chaussures.

«— T'es pressée? Tu sors habillée de même?»

«— C'est ça, oui.»

«— T'as l'air d'une pute.»

«— Merci.» Je vais te crever les yeux, salaud.

«— Tu me remercieras quand le paquet d'os qui te sert de chum va vouloir tâter ta marchandise. Viens pas chialer et me dire qu'il est pas comme ça, mam'zelle. Tous les mâles de toutes les espèces sont comme ça. Tout ce qu'ils attendent, c'est une occasion.»

«— Tout le monde est pas comme toi, tu sais.»

«— Va pas te faire mettre enceinte. Comme ta mère.»

«— Trou de cul de *loser*», murmure-t-elle entre ses dents, et elle déguerpit avant qu'il puisse ajouter quoi que ce soit. Quoi que ce soit au sujet de sa mère, enceinte à dix-sept ans

– un gars, Noreen, c'était juste un gars, j'étais jeune pis niaiseuse – et vivant de l'aide sociale à dix-huit, qui avait finalement été « sauvée » sept ans plus tard par Bob – une histoire qu'il adore raconter –, comme si elle devait lui en être reconnaissante pour l'éternité.

Brad l'attend à l'extérieur du dépanneur où il vient de finir de travailler. Il la prend par la main, tourne le coin de la bâtisse, ouvre son blouson et l'enveloppe dedans jusqu'à ce qu'elle puisse sentir sa chaleur et son cœur battre contre sa poitrine, et ses baisers lents qui font que ses genoux se dérobent sous elle.

Plus tard, ils iront chez lui parce que ses parents ne sont jamais là et elle s'en fichera si ce qu'ils font est parfois agréable et parfois non. Elle se perdra dans son odeur, sa sueur, sa salive, son poids, dans ses « je t'aime et j'ai besoin de toi ». Et elle se fichera du reste. De tout le reste.

3e CONFESSION : LA PARESSE

NOREEN, 15 ANS

Grace, sa mère, aussi connue sous le nom de Amazing[4], croise ses bras sur son coton ouaté violet tout peluché et demande : « — C'est quoi, ça ? »

« — Ça, quoi ? »

« — Le message sur le répondeur. Écoute, voir. » Du bout carré d'un ongle long, Amazing appuie sur le bouton *lecture*, puis se tient en retrait, un verre à la main – une dose de vodka bon marché dissimulée dans du jus d'orange, la saveur du mois –, grimaçant à travers la fumée de sa cigarette extra-légère.

---

4. N.D.T. En référence à l'hymne américain *Amazing Grace*. *Amazing* signifie extraordinaire, stupéfiant, renversant, un surnom chargé d'ironie pour cette mère alcoolique, irresponsable et peu aimante.

C'est Jolly Roger[5], le directeur de son école. Elle n'avait pas prévu qu'il laisserait un message. Elle hausse les épaules. « — Et pis quoi ? »

« — T'as manqué dix jours ce mois-ci. Dix jours ! Et c'est la première fois que j'en entends parler. »

« — Appelle la police. »

Après quoi, Amazing titube jusqu'au téléphone et regarde les boutons du coin de l'œil. « — J'appelle ta demi-sœur », dit-elle, comme si c'était une grosse menace.

Noreen roule les yeux, se laisse choir sur une chaise, examine ses ongles, qui ont besoin d'être refaits. Peut-être cette fois-ci les vernira-t-elle chacun d'une couleur différente, juste pour emmerder tout le monde.

« Oui, Gladys », dit Amazing pour s'annoncer. Et vas-y que ça jacasse et que ça dise que ça travaille fort, et que Bob travaille fort, et qu'ils n'ont même pas le temps de tourner le dos que la p'tite est déjà en train de faire un mauvais coup. « Je sais pas pantoute ce qu'elle cherche. » Sa bouche molle est écrasée sur le combiné. Elle louche par-dessus son épaule et fronce les sourcils en regardant Noreen. « O.K. Ouais. Comme t'as l'air experte, je te la passe. »

« — Pourquoi t'es pas à l'école ? » lui demande Gladys.

---

5. N.D.T. En anglais, nom du pavillon noir des pirates.

« — Je sais pas. »

« — Qu'est-ce que tu fais de tes journées… quand ils sont pas là ? »

« — Je sais pas. Je dors. Je regarde la télé. »

« — Noreen, il faut que t'arrêtes ça, ce niaisage-là. De jouer à ce petit jeu-là. »

« — Pourquoi ? »

« — Parce que. Ça te mènera nulle part. »

« — Je m'en fous. » Et se tournant pour qu'Amazing ne puisse pas l'entendre, elle murmure d'une voix entrecoupée : « Et je vois pas pourquoi je m'en foutrais pas. »

Après une longue pause, Gladys soupire :
« — Jeune fille, qu'est-ce qu'on va faire avec toi ? »

4e CONFESSION : LA COLÈRE

NOREEN, 16 ANS

Lorsqu'elles étaient enfants, Gladys était toujours là, dans le noir, quand les choses tournaient mal. C'était toujours Gladys qui s'approchait d'elle dans le lit et qui la serrait contre son cœur quand les tempêtes qui secouaient leurs parents faisaient rage de l'autre côté de la porte de leur chambre. C'était toujours Gladys qui l'étreignait, si fort qu'elle en perdait presque le souffle, et lui murmurait : « Je t'aime jusqu'aux étoiles. Oublie jamais ça, O.K.? Jusqu'aux étoiles. » C'était toujours Gladys qui se trouvait là, à côté d'elle, si la porte s'ouvrait brusquement. À ce moment-là, son beau-père apparaissait, sa silhouette découpée par la faible lumière du corridor, tel un ogre attendant qu'un simple son sorte de la bouche des enfants, l'espérant presque, aurait-on dit, puisque ainsi il aurait le loisir de les faire payer. Et sa première expérience extra-corporelle eut lieu durant l'un de ces épisodes.

Elle a sept ans et n'arrive pas à se calmer. Possédée qu'elle est. Agitée d'un fou rire incontrôlable à côté de Gladys. Soudain, il est dans la chambre. Puis à côté du lit. Il la fixe de ce regard haineux. Une douleur aiguë lui traverse le bras lorsqu'il la soulève dans les airs. Une autre partie d'elle-même, se souviendrait-elle plus tard, regarde la scène se produire, regarde du haut des airs Gladys pleurer et gueuler après son père. Au bout d'un million d'années, il la lâche. Elle retombe sur le lit. Silence.

«Petite merde», murmure-t-il enfin. Puis il quitte la chambre.

Elle sent son bras encore suspendu en l'air. Plus tard, la douleur s'amplifie comme si son épaule était assaillie de l'intérieur par de petites pointes piquantes qui tentent de sortir d'elle. Elle pleure jusqu'à ce que Gladys aille chercher Amazing, qui l'examine et jure contre Bob le Deux-de-pique, le traitant de maudit chien sale même s'il n'est plus là pour l'entendre.

Gladys lui fait une écharpe avec un tissu vert. Elle la porte comme un trophée pendant des semaines, beaucoup plus longtemps que nécessaire, et elle les maudit, lui et ses yeux, chaque fois qu'ils la regardent. À cette époque-là, elle le condamne déjà aux feux de l'enfer.

Après cet incident, il ne la touche plus. Au lieu de quoi, il s'en prend à Gladys jusqu'à ce qu'elle épouse Gerry et déménage.

Chaque fois qu'elle se remémore à quel point le gros Deux-de-pique écœurait Gladys – il ne la laissait pas tranquille une seconde, la traitant sans cesse de grosse vache et de putain – et qu'elle, Noreen, n'a jamais rien fait pour la défendre, elle enfouit son visage dans son oreiller et sombre dans une spirale de honte vertigineuse et de rage impuissante.

Amazing et le Deux-de-pique ont une petite chienne mal élevée prénommée Ginger, adoptée un mois après que Noreen soit allée vivre chez Gladys. On lui a appris à quémander en aboyant et, donc, la sale bête ne se la ferme jamais, particulièrement les dimanches lorsque Noreen est forcée d'aller les visiter.

Gerry met son gros bras rousselé autour de ses épaules. « Amuse-toi bien, la petite », dit-il avec son sourire niais. Ses yeux se mouillent ; il ne peut pas blairer son beau-père.

« — Le Deux-de-pique est *ton* père ! implore-t-elle Gladys. Pourquoi Gerry et toi, vous venez pas avec moi ? »

« — Parce que je l'aime pas plus que toi. Et parce que je suis pas obligée. » Gladys regarde Gerry. Il la regarde aussi, toujours souriant. Fou d'elle comme si elle était un ange. Comme s'il pensait qu'il était bon et qu'elle était bonne et qu'ensemble, ils étaient meilleurs que le commun des mortels. Plus sucré que ça, t'attrapes le diabète !

« — Mais ils m'aiment même pas ! » proteste Noreen d'un ton accusateur, en espérant que ça fonctionne et qu'elle soit dispensée d'y aller.

« — Écoute, on a une entente, toi et moi. » Gladys va maintenant s'adonner à de bizarres contorsions mentales sur le thème de la loyauté familiale. « Ils doivent te voir une fois par semaine, sinon tu peux pas rester avec Gerry et moi. C'est légitime, Noreen. Ce sont tes parents, après tout. Quand t'auras dix-sept ans, tu pourras décider par toi-même. O.K.? C'est la règle. Dix-sept ans. » Gladys insiste. « Maintenant, vas-y. Et s'il te plaît, essaie d'être gentille, O.K.? »

« — Même les alcooliques ont droit au respect », ajoute Gerry, pieusement.

Il s'est rapproché de Gladys et a passé son bras autour d'elle. Comme s'ils se voyaient déjà, après son départ, respirer en paix et passer un bon moment, enfin débarrassés de cette petite folle.

Parfois, elle les déteste tous les deux, et ce sentiment reste là, comme une briquette de charbon dure et brillante sous sa cage thoracique, juste à côté de son cœur jaloux. Elle pourrait montrer à ceux qui daigneraient le lui demander là où ça brûle exactement. C'est la pire des colères. Parfois, c'est si intense qu'elle pense que son cœur va cesser de battre, et s'il s'arrête pour vrai, elle se dit que ce sera bien fait pour elle.

5e CONFESSION : LA CONVOITISE

NOREEN, 17 ANS

Wesley Cuthand. Elle ne se souvient pas clairement de quoi il avait l'air quand elle l'a rencontré. Elle était quelque part entre Saskatoon et Winnipeg. Marchant sur le bord de la grand-route. Écœurée par le dernier gars qui l'avait embarquée, un trou de cul qui lui avait donné froid dans le dos, c'est ce dont elle se souvient. Lorsqu'il avait stoppé la voiture juste avant Brandon et était sorti se soulager, elle en avait profité pour s'enfuir à travers champs. « Heye ! Reviens ici, espèce de petite pute ! » avait-il crié. Elle lui avait montré le doigt en poursuivant sa course. Dix minutes après avoir trouvé le courage de retourner sur la route, un pick-up s'était arrêté à côté d'elle. Elle était encore très ébranlée par le dernier trajet.

De son côté, Wesley n'a pas de problèmes à se souvenir de quoi elle avait l'air lors de leur première rencontre. Elle avait un sac sur le dos et le plus petit cul qu'il ait jamais vu. « Le soleil était presque couché. Il restait juste une bande de ciel en feu. C'est le souvenir que j'en ai. Oh oui, et les champs – et les collines plus loin vers le sud – étaient comme bleus et ombragés. » C'est sa façon de raconter, les champs et les ombres et le ciel en feu, et cætera, et cætera. Parfois, il commence même l'histoire en parlant de son tout petit cul et il ajoute : « — J'ai arrêté le pick-up. T'es montée. Tes yeux tout grands ouverts et si beaux dans ton visage. »

« — T'as dit qu'il faisait noir, Wesley. Comment t'as pu les voir ? »

« — Je les ai vus. Je te dis que je les ai vus ! »

« — O.K., continue. »

Il porte une main à son cœur. « — Je pensais que je reprendrais jamais mon souffle. » Et il rit tout bas.

« — Continue, j'ai dit. »

« — Pas question que je me dépêche, Noreen. Relaxe, c'est une bonne histoire. »

« — Raconte-la. »

Et alors suit l'épisode où il lui a offert une tablette de gomme à mâcher pour la calmer. Elle l'a prise, l'a portée à sa bouche sans jamais le quitter des yeux, des yeux affolés. Les premiers mots sont venus de Wesley, qui a dit, en riant : « Tu ressembles à un lièvre d'Amérique. »

Apparemment, elle a quasiment sauté au plafond avant de demander : « Pourquoi ? » Après quoi, elle a regardé droit devant elle.

Ce qu'elle préfère dans cette histoire, c'est le sentiment de sécurité qu'elle lui apporte, étendue sur le lit de Wesley, entre les draps en bataille dont l'odeur âcre rappelle qu'ils n'ont pas été lavés depuis longtemps, son bras autour d'elle, sa tête posée sur son torse alors qu'elle écoute sa voix vibrer pendant qu'il lui parle.

Ensuite, il se souvient de ce qu'il a dit : « — Pourquoi tu ressembles à un lièvre d'Amérique ? »

« — Ouais. Tu trouves que j'ai l'air bizarre ? »

« — Non. T'es la plus belle femme que j'aie jamais vue de ma vie. » Et il raconte ce passage de l'histoire très gravement. Parfois, aussi étrange que cela puisse paraître, il en a même les larmes aux yeux.

Ça, c'est Wesley. Il accorde beaucoup de valeur à la vérité. Qu'il ne l'obtienne quasiment jamais ne l'empêche pas de l'espérer.

Alors, dans le camion, près de Brandon, elle lui a lancé « T'es un drôle de moineau », et a claqué la portière d'un coup sec.

« — Je te conduis où tu veux », a dit Wesley, et bien sûr, il était sérieux.

« — Où je veux ? »

« — Oui. Où tu veux. »

« — D'accord, a dit Noreen. Conduis-moi à Winnipeg. »

« — J'allais juste à Brandon, s'est objecté Wesley. Et j'ai presque plus de gaz. »

« — D'abord, dégage ! » a rétorqué Noreen en s'apprêtant à sortir du pick-up.

« — Non ! Je vais aller te reconduire. Je vais prendre de l'essence. Qu'est-ce que tu fais ici ? »

« — Je marche, a répondu Noreen. Et t'as pas besoin d'en savoir plus. »

Ils ont passé deux jours et trois nuits dans un motel minable, en banlieue de Winnipeg, la lune devant leur fenêtre la nuit, et à l'aube, la terre bleuie s'étendant jusqu'à l'horizon. Ils sont restés jusqu'à ce que le chèque de paie de Wesley s'épuise, puis elle a suggéré qu'il la conduise chez elle, là où elle habitait avec sa demi-sœur Gladys et son beau-frère Gerry.

« — Tu veux dire que tu restes ici ? À Winnipeg ? »

« — Bien sûr. » Elle était en train de se mettre du mascara dans la salle de bain du motel, ce qui, hormis le vernis aux couleurs inhabituelles qu'elle appliquait sur ses ongles, était le seul maquillage qu'elle portait.

« — Mais je pensais que t'arrivais de Saskatoon. »

« — J'ai fait du pouce jusqu'à Saskatoon, lui a-t-elle expliqué en examinant ses dents, puis en les frottant avec un doigt. Avec Tyler, mon ex. Évidemment, ç'a pas marché. Ça fait que je suis revenue sans lui. C'est de là que j'arrivais quand tu m'as trouvée. »

Dans sa version préférée de leur histoire d'amour, Wesley affirme qu'il a su tout de suite que c'était l'amour fou et qu'il porterait à jamais la marque de ce coup de foudre. Elle était l'être le plus délicat qu'il lui ait été donné de voir, disait-il. Il était amoureux de ses yeux couleur de lin, de ses longs cheveux soyeux, de ses pieds minuscules et de ses mains délicates, de sa façon de se blottir contre lui comme un chaton, et de le chevaucher, la nuit, jusqu'à ce qu'une pluie d'étoiles tombe du cosmos et les illumine tous deux.

Gladys les attendait à la porte quand Noreen est entrée avec Wesley.

« — Doux Jésus, où est-ce que t'étais ? J'ai mis la police après toi. On pensait que t'étais quelque part au fond d'un fossé. »

« — J'étais partie avec Tyler. À Saskatoon. Ça me fait plaisir de te voir, moi aussi. »

« — Je suis responsable de toi. Tu m'as même pas dit que tu partais. Noreen, t'as disparu pendant dix jours ! T'as dix-sept ans et t'arrêtes pas de tout foutre en l'air. T'es toujours en train de tout foutre en l'air. Je suis plus capable. »

« — De toute façon, j'allais lâcher ma job. »

« — T'aurais pu les avertir. Tu seras jamais capable d'avoir une lettre de recommandation, maintenant. Je suis sur le bord d'abandonner. »

« — Une lettre de recommandation ? Pour faire des hamburgers dans une binerie ? »

Sur le petit tapis vert de l'entrée, Wesley se balançait d'un pied sur l'autre. Il a regardé ses bottes puis Noreen, puis Gladys.

« — Et à qui avons-nous l'honneur ? » a demandé Gladys.

« — Wesley Cuthand, a dit Noreen en passant à côté d'elle. C'est mon chum. »

« — Je pensais que Tyler était ton chum ! » a presque hurlé Gladys.

« — Il est probablement encore à Saskatoon. C'est un *loser*! » a crié Noreen par-dessus son épaule. Elle n'était pas pour avouer qu'à leur arrivée à Saskatoon, Tyler avait épuisé toutes ses réserves de patience et de gentillesse. *Chez Bianca, burgers et burritos* – une gargote où ils s'étaient arrêtés manger –, il s'était excusé poliment, s'était levé, ses cheveux raides tombant sur son visage aux os saillants brûlé par le vent, et était allé aux toilettes. Il n'était jamais revenu. Vingt-cinq minutes plus tard, la serveuse, qui avait des yeux gros et sombres comme des cratères de lune, s'était penchée par-dessus la table et lui avait dit : « Je pense que tu devrais savoir quelque chose, mon trésor. Ton chum est parti. Tout ce que je sais, c'est qu'il a payé ton repas avant de sortir. »

Noreen est entrée dans sa chambre, a déniché un gros sac-poubelle noir sous une pile de linge et a commencé à y fourrer des choses, tout ce dont elle croyait avoir besoin ou dont elle pourrait s'ennuyer, même si, à dire vrai, elle se foutait d'à peu près tout. C'était la chose à faire. Puis elle a quitté sa chambre, le sac sur l'épaule.

« — Je déménage », a-t-elle annoncé à Gladys.

« — Quoi ? »

« — J'emménage chez lui. »

Wesley a fait un sourire gêné à Gladys.

« — Je vais prendre bien soin d'elle. »

« — Où est-ce que tu vas ? Noreen, commence pas à rouler des yeux. Dis-moi où est-ce que tu vas être. »

« — À Brandon. »

« — À Brandon ? Pourquoi à Brandon ? »

« — Parce que. C'est là qu'il habite. »

« — Bon. » Gladys s'est croisé les bras pour se calmer et ramasser sa force intérieure. C'est ce qu'elle faisait toujours, ramasser sa force intérieure, doux Jésus, avant d'essayer une nouvelle fois de la raisonner.

Quand Noreen essayait de se souvenir du temps où les choses s'étaient mises à dérailler entre elle et sa grande sœur, elle se rendait compte qu'elle n'arrivait pas à mettre le doigt sur un moment précis. Les choses s'étaient détériorées graduellement, jusqu'à ce qu'un jour elle réalise que Gladys avait cessé de se conduire comme une vraie sœur. Et maintenant, à vingt-quatre ans, son visage portait les rides permanentes d'un air renfrogné. Elle était en train de devenir une vieille femme amère avant son temps.

« Noreen, a dit finalement Gladys, quand Gerry et moi, on a accepté de te prendre chez nous, on s'était entendus pour que tu finisses ton secondaire. C'était ça, l'entente. Maintenant, comment tu penses gagner ta vie ? »

« — Aucune idée », a rétorqué Noreen.

Et elle est partie sans dire au revoir, a lancé son sac dans le pick-up et y est montée.

« — Tu lui donnes pas mon numéro de téléphone ? » Wesley ne démarrait pas, il attendait là dans la cour.

« — Wesley, je suis une femme libre. Maintenant, on fout le camp d'ici. »

Mais tandis qu'ils s'éloignaient, elle a regardé derrière, espérant voir Gladys à la fenêtre, ou peut-être Gladys agitant la main, debout sur le perron, essayant d'entrevoir sa petite demi-sœur, la personne qu'elle avait un jour affirmé aimer jusqu'aux étoiles.

o

Dans le petit appartement de Wesley, à Brandon, elle reste à la maison pendant qu'il va travailler chez Construction Dan. Elle commence sa journée avec la télé. Elle s'éveille et voit Wesley, ses longs cheveux noirs de Cri attachés derrière la nuque, son jean, son t-shirt, ses bottes, prêt à partir pour le travail.

« — À quel poste ? » demande-t-il, debout près de la télé.

« — Au cinq », répond-elle. Ou au deux. Ou au seize. Elle s'en fout ; il est six heures du matin. Pourtant, il insiste jusqu'à ce qu'elle le lui dise.

Ensuite, il la rejoint, la fait asseoir sur le lit et enfiler un survêtement, puis il l'étreint et lui donne des baisers sur la tête comme à une enfant. « Mange quelque chose », dit-il, puis il part parfois pour les douze ou treize prochaines heures.

Pendant les premières semaines, elle sent qu'il attend d'elle quelque chose de plus que le sexe. Un jour, il rentre à la maison et lui demande comment s'est passé sa journée – à ce stade-ci, elle est parvenue à enfiler une paire de jeans –, et elle lui répond avec désinvolture : « — Oh, je suis sortie chercher de l'ouvrage. »

Il la regarde une minute. Puis il s'approche et s'assoit à côté d'elle sur le sofa. Il ne met pas son bras autour de ses épaules comme il le fait d'habitude. En fait, il a l'air fâché.

« Qu'est-ce qui va pas ? » s'enquit-elle.

Il ne répond pas. Il se lève, va dans la salle de bain, prend une douche. Après, il revient dans la cuisine où la vaisselle s'empile depuis trois jours. Il la fait, la range. Puis il prépare des hamburgers, sort de la salade de chou et une bouteille de cola du frigo et les apporte dans le salon où elle regarde la même chaîne que ce matin, quand il est parti travailler.

Il s'assoit et mange en silence, ses yeux sombres allant et venant de son assiette à la télé. Elle commence à avoir peur. Elle prend quelques bouchées de son hamburger et, bientôt, elle est incapable d'avaler. Elle se demande si elle devrait dire quelque chose. Puis elle en a assez. « C'est quoi, ton problème ? Je te dis que je suis sortie me chercher de l'ouvrage et tu te mets à être bizarre avec moi. »

Il dépose son hamburger dans l'assiette. Se frotte légèrement les mains ensemble pour en décoller les miettes. Réfléchit un moment. Puis se tourne vers elle et lui dit d'un ton glacial : « — Je me fous que tu cherches une job ou pas. C'est ton affaire. Ce que j'aime pas, c'est que tu me mentes. »

« — Te mentir ? Je sais pas de quoi tu parles. »

« — Arrête tes enfantillages, Noreen », et il se remet à manger son hamburger.

Elle replie ses jambes sous elle et lui dit : « — Tu sauras, Wesley, que j'aime pas qu'on me traite comme une enfant. »

« — Je te traite pas comme une enfant », répond-il en mastiquant et en fixant la télé.

« — Oui, tu me traites comme une enfant. Tout le temps. »

« — Quand ? » Il ne lâche pas la télé des yeux. « Dis-moi quand. »

« — Chaque matin. Tu me fais choisir le poste que je veux. Et après, tu me fais asseoir sur le lit comme si j'étais une invalide ou une demeurée. Et là, tu me fais enfiler un coton ouaté. » Elle se rend compte qu'en disant ça, elle parle comme une enfant. Mais elle poursuit tout de même. « Peut-être que je veux pas me lever, Wesley. Et peut-être que je me fous de la maudite télé plate. Ou de mon maudit coton ouaté. »

« — O.K. Je te dérangerai plus. »

À la suite de quoi, il la laisse tranquille. Le matin, il ne la réveille plus, même si elle fait seulement semblant de dormir. Il se tire doucement du lit jusqu'à ce que le matelas n'ait plus qu'à supporter son poids à elle. Il enfile son jean, fait du café, s'en verse une grosse tasse et va la boire près de la fenêtre ouverte. Il se tient là, dos à elle, sa peau mate offerte aux rayons du soleil, qu'elle jalouse d'avoir ainsi le privilège de son premier bonjour. Après son départ, elle allume la télévision, enfile une de ses chemises, la serre contre son corps puis s'en veut de s'ennuyer de lui à ce point. À la fin, elle se rendort. Quand elle se réveille, c'est bien souvent le milieu de la journée.

Les choses suivent ce cours pendant un bon moment. Elle reste au lit presque toute la journée et lui travaille jusque tard en soirée. Elle est trop fatiguée pour s'en soucier. Elle pense qu'elle doit sortir et faire quelque chose, puis elle se rend compte qu'elle rumine la même pensée depuis une heure et qu'elle n'a pas bougé de l'endroit où elle se trouve. Dans son esprit, elle se sent à moitié morte. Et dernièrement, aussi, elle se sent gonflée et un peu grippée.

« Il y a quelque chose qui va pas avec toi, lui dit Wesley, un jour. Es-tu malade ? »

Elle vient de sortir de la douche et s'est assise sur le sofa, la serviette dans les mains et les cheveux lui dégoulinant dans le dos. Elle ne lui répond pas.

Il prend la serviette et lui essuie le dos. Puis il lui assèche les cheveux. Il prend son temps.

Il adore ses cheveux. « Tu devrais peut-être aller voir un médecin », ajoute-il après un moment.

« — Je suis pas malade. J'ai pas besoin d'aller chez le médecin. »

« — O.K. d'abord. On va faire un tour de camion. »

« — Où ? »

« — N'importe où. »

« — Pourquoi ? »

« — Noreen, dit-il en mettant la serviette autour de ses épaules, il faut que tu te changes les idées. Il faut que tu fasses quelque chose, ça, c'est certain. Tu veux même plus sortir d'ici. Et t'agis de plus en plus comme si t'étais... dépressive. Ça me fait peur. »

« — Quoi ? Es-tu en train de me dire que je suis folle ? »

Ses épaules s'affaissent. Il prend une grande inspiration, évite son regard. « — Il y a un an environ, j'étais assez mal en point. J'ai fini par faire quelque chose de lâche. C'était tellement le bordel dans ma tête. Il a fallu que j'aille voir quelqu'un pour en parler. Même là, ça m'a pas aidé tant que ça. » Il se penche vers elle en joignant les mains. Attend qu'elle dise quelque chose.

« — Je peux pas croire que tu penses que je suis folle ! Tout va bien, Wesley ! Y'a rien qui cloche avec moi. Rien. Rien. Rien. Peux-tu te rentrer ça dans la tête ? Je veux juste qu'on me foute la paix. »

Mais elle ne veut pas vraiment qu'on lui foute la paix. En fait, c'est la dernière chose qu'elle veut. Elle le dit seulement pour se sentir encore plus misérable. Une nuit, alors qu'ils sont couchés sur le dos, côte à côte dans le lit, elle serre fort ses bras autour d'elle en s'étreignant. Elle fixe le plafond. Wesley tourne la tête vers elle.

« — Comptes-tu les étoiles ? »

« — Quoi ? »

« — Combien d'étoiles tu vois là-haut ? »

« — Parle-moi pas des étoiles. »

« — Imagine que le plafond est pas là et tu vas en voir des milliards, poursuit-il en ignorant sa remarque. Dans les Prairies, la nuit, par temps clair, tu peux toutes les voir. Tant que tu peux voir les étoiles, Noreen, ou même les imaginer, tu peux te convaincre que t'es pas toute seule. »

Une petite brise souffle par la fenêtre ouverte. Elle laisse retomber ses bras sur ses flancs. Elle peut sentir les cheveux, la peau de Wesley ; le grand Cri sent toujours très bon. Elle roule rapidement vers lui et se jette sur son torse. Elle s'agrippe à son corps de toutes ses forces. Un sentiment de vide émane de lui et l'effraie. Comme s'il était parti très loin et qu'il ne reviendrait jamais. Elle ne le lâche pas, s'accroche jusqu'à ce qu'enfin, ses bras se referment sur elle. Puis elle sombre dans un sommeil agité rempli de rêves.

Elle rêve de voitures. Elle se tient sur le bord de la grand-route et elles passent devant elle. Chacune de ces voitures contient une famille. Elle regarde par les vitres arrière et aperçoit des visages d'enfants et des éclats de couleurs qui l'attirent, comme la manche d'un chandail rouge ou le profil sombre d'un chien aux longues oreilles soyeuses. Parfois, des dessins crayonnés sur du papier blanc s'envolent par les vitres et, balayés librement dans le paysage, se prennent dans une clôture ou s'enchevêtrent dans des buissons.

Dans ce rêve, les pères qui conduisent les voitures sont gentils et patients avec leurs enfants et ne lèvent jamais la main sur eux. Et ils portent tous des chapeaux de cow-boy. Elle attend et attend qu'un de ces chapeaux s'envole au vent, mais en vain. Au lieu de quoi, ils disparaissent avec les voitures et les pères souriants.

Le lendemain matin, Noreen se réveille et Wesley est déjà parti. L'espace d'un instant, elle n'arrive pas à se souvenir où elle est et reste là, étendue, humant la brise matinale qui entre par la fenêtre. L'air est frais. On est à la fin juin et le soleil brille. Elle tourne la tête pour regarder dehors et la première chose qu'elle voit, c'est le ciel. Il est si bleu qu'elle a l'impression de flotter dans les airs et de se fondre en lui. C'est le ciel le plus bleu qu'elle ait jamais vu. Elle reste étendue là un moment, se rappelant peu à peu qu'elle a un corps, que ce corps est dans un lit, et que ce lit est dans l'appartement de Wesley.

Lorsqu'elle se lève, elle se sent si pleine d'énergie qu'elle ne sait pas quoi en faire. Elle trouve une orange dans le frigo, la mange. Après quoi, elle se fait du café et, imitant Wesley, se tient près de la fenêtre et le boit lentement dans sa tasse préférée.

Elle porte un jean, mais rien en haut. Elle aime la façon dont la brise du matin danse sur ses petits seins pointus. Quelqu'un passe sur le trottoir, une femme et son chien. Sans raison aucune, la femme lève la tête. Surprise, elle y regarde à deux fois et Noreen lui fait un petit signe de la tête, puis se remet à contempler le ciel et à boire son café, portant la tasse à ses lèvres et posant son coude bien haut sur le montant de la fenêtre, exactement comme le fait Wesley.

Elle passe la journée à jouer à être lui et elle se sent bien. Elle rentre un de ses t-shirts dans son jean. Elle s'attache même les cheveux comme lui. Puis elle s'active dans l'appartement, fait le ménage. Elle récure la salle de bain, sort les déchets, lave leurs vêtements, change les draps. Après tout ça, elle a encore de l'énergie. Alors, elle nettoie le frigo, récure le four, lave le plancher. Ensuite, elle se concentre sur leur minuscule salon, qui leur sert aussi de chambre à coucher, époussette, met de l'ordre, balaie.

Après quoi, la journée est bien avancée et elle a faim. Il n'y a pas grand-chose dans le frigo. Elle veut faire le souper, mais il n'y a rien de très appétissant dans les armoires non plus, alors elle se met à chercher de l'argent. Elle se souvient que Wesley garde de la monnaie dans une boîte à café en haut des armoires de cuisine. Elle se hisse donc sur le comptoir, trouve le contenant et le prend. Elle ôte le couvercle de plastique. Il y a de la monnaie là-dedans – oh que oui ! –, mais aussi beaucoup d'argent, des billets de vingt principalement. Quand elle les compte, il y en a pour près de huit cents dollars.

Elle prend un billet et remet les autres à leur place. Puis elle se rend au Safeway à trois pâtés de maison, en bas de la rue. Elle achète un poulet barbecue, de la salade de patates et une autre sorte de salade à base de maïs – parce que Wesley aime ça –, deux canettes de thé glacé, un petit contenant de crème glacée au chocolat fondant et des pêches en conserve. Elle se pavane jusqu'à la maison. Elle porte une paire de bottes à lui, lacées bien serré pour ne pas les perdre. Elles lui font de très grands pieds.

Devant une clôture qui borde le parterre d'une maison, une grosse botte de pâquerettes a poussé à travers les trous du pavage pour trouver la liberté ; elle l'a vue en allant à l'épicerie. Elle pose ses sacs pour admirer les fleurs et en cueille quelques-unes. Elle souffle dessus pour la chance. Puis elle reprend ses emplettes et retourne à l'appartement.

Quand Wesley arrive de travailler, il voit les pâquerettes sur la table à café. Une première chose. Puis il remarque le reste, comme tout est bien rangé, comme tout est propre. Il va dans la salle de bain et en ressort, un grand sourire aux lèvres.

« — As-tu faim ? » lui demande timidement Noreen.

Il répond par un petit rire – du Wesley tout craché – et dit : « — Quoi ? Tu fais aussi la cuisine ? »

Elle passe fièrement à côté de lui et sort les assiettes du frigo. Elle a tout préparé à l'avance, avec une demi-pêche chacun coupée en forme d'étoile. Elle espère qu'il relèvera ce détail. Il le remarque. Il mange d'abord sa moitié de pêche et lui sourit. Du bout de sa fourchette, elle joue avec sa nourriture. L'odeur combinée du poulet et de la salade de patates lui donne la nausée. Elle prend une petite bouchée de pêche et attend qu'il lui demande où elle a pris l'argent pour l'épicerie. Bien sûr, il pense peut-être qu'il lui reste encore de l'argent à elle. Au demeurant, elle a seulement pris vingt dollars.

Le lendemain matin, elle se réveille nauséeuse. Elle va dans la cuisine, découvre une boîte de craquelins au fond d'une armoire, en mange une douzaine et se sent immédiatement mieux. Ensuite, elle se hisse de nouveau sur le comptoir et prend un autre billet de vingt dollars dans la boîte à café. Chaussée des bottes de Wesley, elle sort et s'aventure un peu plus loin que la veille. Elle trouve un Wal-Mart et, une fois à l'intérieur, repère la section couture. Elle regarde les tissus, des rangées et des rangées de pièces d'étoffe. Rien ne lui convient. La vendeuse lui demande à deux reprises si elle a besoin d'aide. « Non, dit Noreen, je fais juste regarder. » Mais le découragement la gagne. Puis la vendeuse, Sylvia – c'est écrit sur son porte-nom –, la dirige vers un baril qui contient des retailles de tissu et des coupons en solde.

« Amuse-toi », lui dit Sylvia en souriant, laissant Noreen se débrouiller.

Elle commence par manipuler délicatement les étoffes entassées. Rien. Puis elle se met à les sortir du baril et à les étendre sur les longues tables de vente, éparpillant couleurs vives et textures. Aux trois quarts du baril, elle trouve ce qu'elle cherche : un rouleau de tissu vaporeux bleu foncé parsemé de taches blanches, grandes comme des cinq cents. Elle en déroule un bout puis recule un peu. Quand elle ferme les yeux à demi, elle constate avec joie que l'étoffe ressemble au ciel étoilé des Prairies. Elle paie Sylvia pour le tissu, des aiguilles, du fil et une paire de ciseaux violets bon marché, et retourne à l'appartement.

Au début, elle essaie d'étendre le coupon sur le plancher du salon, mais cela s'avère difficile parce qu'il n'y a pas assez d'espace libre. Puis elle se souvient que la pièce de tissu doit être plus longue que le lit, alors elle la mesure sur la longueur et l'épaisseur du matelas. Elle a assez de tissu pour couper deux longueurs, ce qu'elle fait, assise par terre. Ensuite, elle les coud ensemble par le milieu, puis ourle les bords. Une fois le dernier point cousu, elle coupe le fil bleu avec ses dents, se lève et secoue le tissu. La brise de l'après-midi qui souffle par la fenêtre l'attrape et le soulève. Comme par magie, l'étoffe se pose doucement sur le lit, ressemblant presque – avec un peu d'imagination – à la nuit étoilée des Prairies.

L'une des multiples émissions de télé qu'elle a regardées au cours des deux derniers mois et demi, depuis qu'elle habite avec Wesley, montrait une personne qui recouvrait un châssis de baldaquin au-dessus d'un lit. Ce qu'elle veut vraiment, c'est installer un ciel au-dessus de la tête de son grand Cri. Elle pense à lui, la nuit, fixant le firmament étoilé, envahi de pensées poétiques. Toutefois, il n'y a pas d'armature au-dessus du lit. Alors, elle descend chez Melissa, la concierge, lui demander un escabeau et une agrafeuse. Melissa – une femme de cinquante ans qui mâche de la gomme sans répit – a un escabeau, mais pas d'agrafeuse.

Noreen prend l'escabeau et le traîne en haut des cinq volées d'escalier jusqu'au logis. Elle l'installe près du lit, puis se rend dans la cuisine et descend la boîte du dessus de l'armoire. Elle prend un billet de vingt pour acheter une agrafeuse, y repense et en prend un second, au cas où ce serait un objet coûteux. Lui vient aussi l'idée que, si elle achète deux pinceaux d'artiste et des pots de peinture argentée et dorée, elle pourrait dessiner des pointes autour de certaines taches blanches et, ainsi, elles ressembleraient vraiment à des étoiles. Alors, elle se prend un troisième billet de vingt.

À la fin de la journée, lorsque'elle descend de l'escabeau et lève les yeux vers le tissu bleu gonflé par la brise, céleste et scintillant, elle a du mal à croire qu'elle a fabriqué ça elle-même, juste pour Wesley. Elle s'étend sur le lit et regarde le plafond. Sans contredit, c'est la plus belle chose qu'elle ait jamais faite pour quelqu'un. C'est certainement la plus jolie. Elle coince ses mains dans la ceinture de son jean.

Elle se sent de nouveau gonflée et un peu nauséeuse. Elle défait le bouton. Descend la fermeture éclair. Pose ses mains sur son ventre.

Un souvenir vague, mais étouffant comme la canicule, l'envahit peu à peu. Elle repense aux derniers mois. Essaie de se rappeler la date de ses dernières règles. Pense à cette fois où le condom s'est rompu. Et à toutes ces autres fois où ils ne se sont pas souciés de se protéger.

Sa bouche devient sèche. Tout son être se met à trembler. Le terrible constat s'impose à elle.

Plus tard, elle n'entend pas Wesley arriver à la maison. Elle n'entend pas son camion se garer dans le stationnement de gravier sous la fenêtre de leur chambre ou le petit bruit de ferraille que fait toujours le moteur quand il l'éteint et sort la clé de l'allumage. Elle ne l'entend pas non plus pénétrer dans l'appartement ou fermer la porte ou même ôter ses bottes dans l'entrée. Elle n'entend pas ses pas sur le tapis ni le cliquetis familier de son porte-clés quand il le dépose sur la table à café.

Elle ne l'entend pas lorsqu'il se tient là, regardant l'agrafeuse, la peinture et les pinceaux, et la regardant elle, étendue sous le ciel de lit étoilé, ou lorsqu'il fouille les sacs de plastique pour trouver les coupons de caisse. Elle ne l'entend pas lorsqu'il réfléchit à tout ça, assemblant les pièces du casse-tête, ni lorsqu'il va dans la cuisine, prend la boîte à café, l'ouvre, en sort son argent et le compte.

C'est un mot qui la réveille, un mot explosif : « Merde ! »

Après quoi, il se tient à côté du lit, la dominant de haut. Comme une vilaine petite fille, elle s'assoit et roule rapidement de l'autre côté pour ne pas qu'il puisse la frapper, l'attraper ou lui faire quoi que ce soit.

« — Il manque cent dollars, Noreen ! Pourquoi tu me l'as pas demandé ? »

« — Je m'excuse, je m'excuse, je m'excuse », dit-elle en mettant ses mains sur ses oreilles.

Il lève les yeux vers les étoiles qui scintillent faiblement au plafond de la chambre. « — Merde ! » jure-t-il de nouveau. Puis il tourne les talons, marche jusqu'à la porte, enfile ses bottes.

« — S'il te plaît, va-t'en pas ! »

« — Il faut que je sorte d'ici. Il faut que j'aille réfléchir. »

« — Wesley, s'il te plaît, s'il te plaît, va-t'en pas ! Je vais faire tout ce que tu veux. »

« — Qu'est-ce que ça veut dire, ça ? lui demande-t-il froidement. Prends sur toi, Noreen. »

Et il sort en claquant la porte. Le bruit de ses bottes fait écho à sa colère alors qu'il avance dans le couloir, descend les cinq volées d'escalier en bois craquant et sort de l'immeuble. Après, tout redevient calme. Elle s'assoit sur le bord du lit et se met à penser.

Elle pense à son beau-père, à l'époque où il était gentil, avant qu'il n'épouse Amazing. «Attends, lui avait dit Gladys, le jour après qu'il lui eut donné la Barbie qu'elle désirait plus que tout. Il fait juste ça pour impressionner la galerie. Tu le connais pas encore. C'est un méchant malade.» Gladys avait raison. Il s'était graduellement transformé en Bob le Deux-de-pique et, à partir de là, n'avait plus jamais changé.

Elle ne ressent strictement rien, réalise-t-elle en secouant la tête, et c'est bien. Après tout, elle savait que ça viendrait. Tôt ou tard, Wesley se serait lassé d'elle et les choses auraient changé. Prendre son argent sans sa permission a seulement contribué à accélérer le processus. C'est presque un soulagement que ce soit arrivé. À présent, elle peut s'en aller.

Les ciseaux qu'elle a achetés un peu plus tôt sont encore sur le plancher. Elle les ramasse et les emporte dans la salle de bain. Devant le miroir, elle contemple gravement les longs cheveux blonds soyeux que Wesley adore caresser. Elle prend une mèche et la soulève, place les lames de métal à une dizaine de centimètres de son crâne, puis coupe. Un long serpent doré ondule dans le lavabo. Elle refait le geste avec une autre mèche, et une autre, et encore une autre, jusqu'à ce que le lavabo soit rempli de ses cheveux.

Ensuite, elle rassemble ses maigres affaires, prend l'argent dans la boîte à café, ramasse les clés, verrouille la porte de l'appartement, sort de l'immeuble, monte dans le pick-up et s'en va.

Troisième partie

LE SALAIRE DU PÉCHÉ

1

Lorsque Noreen avait tenté de se soustraire à ses confessions, Dolorès l'avait fixée d'un air opiniâtre, la forçant à lui renvoyer son regard, ne relâchant jamais sa poigne sur ses mains fines. De cette façon, l'histoire était sortie, son récit s'avérant assez long, au bout du compte.

Dans l'intervalle, Lynda s'était activée entre la salle à manger et la cuisine, tentant de tout faire elle-même. Dolorès n'aurait pas à s'excuser. Elles étaient amies depuis assez longtemps ; certaines choses avaient priorité sur quelques crêpes trop croustillantes. Ainsi, la vieille femme tint bon, plongea en profondeur, arrêtant Noreen et lui faisant reprendre certains passages qui avaient besoin d'éclaircissements. Même quand d'énormes sanglots secouèrent l'adolescente des pieds à la tête, Dolorès ne lâcha pas prise. Aimer l'autre jusqu'à ce que jaillisse de ses lèvres la vérité réparatrice. Comme il était bon de faire le bien ! Elle sentit ses pouvoirs ancestraux refaire surface, un sentiment qu'elle n'avait pas éprouvé depuis longtemps, bien avant que Mirella ne tombe malade et qu'elle ne puisse plus rien pour sa propre fille.

Lorsque tout fut sorti, Noreen murmura d'une voix chargée de honte et d'humilité : « — J'ai fait des choses vraiment minables. »

« — Tout le monde fait des choses minables, répliqua Dolorès. C'est pas une excuse pour ne pas essayer de redresser la situation. Tu pourrais téléphoner à ta demi-sœur, par exemple, pour lui dire que tu es désolée de lui causer autant d'inquiétude. Mais la première chose – regarde-moi bien, Noreen –, ce que tu dois faire *immédiatement*, c'est d'entrer en contact avec ton copain pour lui dire où tu te trouves. »

« — J'ai volé son camion ! » gémit Noreen.

« — C'est ce que tu m'as dit, oui. »

« — Et son argent ! Presque sept cents dollars ! »

« — Oui. Je comprends. »

« — Pis je pense que je suis enceinte, sanglota Noreen. De son bébé. »

« — C'est aussi une forme de vol », acquiesça Dolorès.

« — Je sais pas quoi faire. » Elle pleura et pleura. Et pleura encore.

Dolorès relâcha sa poigne et lui tendit une serviette de papier.

« — L'aimes-tu, ce garçon-là ? »

« — Non, répondit-elle en s'essuyant les yeux avec colère pour ensuite se moucher. J'aime personne. Point final. »

Noreen leva vers la vieille femme des yeux rougis, remplis de terreur, et Dolorès résista à l'envie de la prendre dans ses bras. C'était la plus triste petite chouette qu'elle avait vue depuis longtemps et, bien sûr, elle lui rappelait Mirella – qu'elle repose en paix –, qui avait, elle aussi, eu plus que sa part de malheurs à l'adolescence.

2

Pour Noreen, la meilleure chose à faire – et certainement la plus simple ! – aurait été de sauter dans le pick-up et de foutre le camp. Mais elle ne savait pas où aller. En fait, elle ne savait plus rien.

La vieille dame au chandail rose avait fait du thé, en avait placé une tasse devant elle, l'avait fortement incitée à manger quelque chose puis était retournée servir les clients qui restaient. Il était onze heures et demie. Presque plus personne n'entrait au café. La femme d'hier soir, bâillant au-dessus de sa tasse de café, s'appuya contre le poêle et fit une pause.

Le petit garçon, Seth, fit rouler un minuscule tracteur vert sur le bord de la table jusqu'à ce qu'il heurte sa main. Puis il s'arrêta pour voir si ça l'irritait. Et ça l'irritait. Mais il continua tout de même, et elle le laissa faire. Il poussa son petit véhicule sur les collines que formaient ses jointures jusqu'à son poignet et tout le long de son bras. Il sentait le soleil, la poussière, la sueur d'enfant ; et son haleine était douce. Le jouet atteignit son épaule et s'immobilisa. L'enfant prit une grande inspiration et la regarda avec des yeux empreints de gravité, un curieux petit rictus au coin des lèvres.

« — Noreen, dit-il enfin, es-tu triste ? »

Elle ne répondit pas, mais son cœur se serra. Vingt minutes passèrent, puis vingt autres. Au terme de quoi elle se sentit assez brave pour appeler Wesley. Elle se leva, alla jusqu'au téléphone, composa le numéro. Quatre sonneries retentirent, puis le répondeur se mit en marche. Elle était soulagée de ne pas avoir à lui parler directement.

« Wesley, c'est moi. Noreen. J'ai pris ton pick-up. Et ton argent. J'ai roulé vers le sud sous la pluie, je me suis perdue, pis j'ai passé la nuit dans une place qui s'appelle Pembina Lake. Je reviendrai pas, demande-le-moi même pas. Si tu veux appeler la police, c'est tes oignons. En passant, je pense que je suis enceinte. Et si je le suis, il est de toi. Impossible qu'il soit de quelqu'un d'autre. Ça fait que joue-moi pas la vieille rengaine ça-se-peut-pas-qu'il-soit-de-moi. Peu importe, je suis en maudit, si tu veux savoir la vérité. Toute cette histoire-là, c'est un vrai bordel. Et je suis écœurée de ma vie de merde. »

Elle s'était promis de ne pas pleurer quand elle lui parlerait, et la voilà qui chialait sur son satané répondeur. Elle raccrocha rapidement. Puis elle réalisa qu'elle n'avait pas laissé le numéro où il pouvait la joindre. Peut-être ne voulait-elle pas qu'il la rappelle. En fait, elle ne savait pas ce qu'elle voulait vraiment. Elle se laissa glisser contre le mur à côté du téléphone et attendit qu'une idée lui vienne.

La vieille femme revint, se tira une chaise à côté d'elle, fixa le plancher un long moment avant de lui demander : « — Ça remonte à quand, la dernière fois où t'as parlé à ta demi-sœur, ma chouette ? »

Noreen renifla, essuya ses yeux, examina l'épaisse trace de mascara noir au dos de sa main. « — Depuis que j'ai déménagé chez Wesley. Ça fait deux mois et demi. » Elle leva les yeux. « Êtes-vous Molly Thorvaldson ? »

« — Non, moi, c'est Dolorès Harper. » Elle lui tendit une poignée de papiers-mouchoirs. Noreen les prit et se barbouilla les yeux encore davantage. « La dame chez qui t'as dormi la nuit passée, c'est Lynda Bradley. Le café a été baptisé du nom de son arrière-grand-mère, une femme ojibwe mariée à un pionnier islandais. C'est ton copain que tu viens juste d'appeler ? »

« — J'ai laissé un message. »

Dolorès opina de la tête puis dit lentement : « — Ta demi-sœur aimerait sûrement avoir de tes nouvelles, aussi. »

« — Avez-vous fini de me parler d'elle ! Je l'appellerai pas. Elle veut rien savoir de moi. Elle est bien mieux sans moi. On s'est chicanées ! »

« — On peut pas rester fâché contre quelqu'un pour toujours. Ça gâche le sommeil », déclara la vieille femme. Puis elle hocha plusieurs fois la tête, comme si elle venait de dire une grande vérité.

Noreen soupira. Elle n'avait jamais rencontré quelqu'un comme elle, une emmerdeuse de première classe qui tenait ses propres opinions en très haute estime. Elle ne put résister à l'envie de lui envoyer une pointe. Elle répliqua donc avec feu : « — Je gage que vous vous engueulez avec beaucoup de monde. »

Dolorès la fixa droit dans les yeux. « — Pas récemment, non. » Puis elle se leva et partit.

Le café se remplit peu à peu. Seth sortit dehors avec la chienne. Noreen s'assit près de la fenêtre de la cuisine et fixa un enchevêtrement d'herbes hautes, de roses trémières et de roses jaunes. La brise chaude apporta dans la pièce l'odeur de crotte de chien mêlée au parfum des fleurs et lui donna un haut-le-cœur. Elle alla aux toilettes. Le mur était décoré jusqu'à la moitié d'un papier peint bleu, orné de canards se dandinant. Elle vomit de nouveau. Tira la chasse d'eau. Mouilla des serviettes de papier à l'eau froide – laissa couler le robinet – et les tint sur son visage. Une fois de plus, elle éclata en larmes, sanglota dans les serviettes de papier jusqu'à ce qu'elles soient réchauffées par ses larmes, puis leva la tête, se regarda dans le miroir et pensa à cette vieille expression de l'Ouest : « C'est ici que ça s'arrête, cow-boy. »

3

Dolorès savait qu'à quatre heures cinq, son amie Mary passerait la porte ; vous pouviez ajuster vos montres sur Mary Reed. Et aujourd'hui, elle en entendrait de belles. L'horloge au-dessus du comptoir indiquait quatre heures deux. Dans la cuisine, la fille sanglotait, hystérique. La voix de son copain s'élevait au-dessus des sanglots.

« — Ce garçon-là a surgi de nulle part, dit Dolorès. Il est entré ici en coup de vent. L'as-tu vu arriver ? »

« — Non, je l'ai pas vu, répliqua Lynda en colère, et j'ai juste hâte qu'ils débarrassent le plancher tous les deux. Je peux pas croire que je l'ai laissée rester ici, elle. Je devais avoir le cerveau ramolli. »

Lynda se mit en frais de faire du café, même s'il en restait amplement. Elle répandit des grains par terre, renversa de l'eau partout. Dolorès la suivit avec un torchon comme elle le faisait systématiquement les jours où Lynda était perturbée, et fut soulagée qu'il n'y ait pas de clients dans la salle à manger.

Quatre heures trois. Dolorès imagina Mary se dirigeant clopin-clopant vers le café. L'excitation de la veille passée – Caitlin Louise, sa toute nouvelle arrière-petite-fille, vivait de l'autre côté du pays, à l'Île-du-Prince-Édouard –, elle devait être en train de penser : *qui sait si je verrai un jour cette enfant ?* Et ce, même si son petit-fils Ronnie lui avait récemment offert d'utiliser ses points de passager régulier. *Comment peuvent-ils penser qu'une vieille dame s'en sortirait seule dans ces immenses aéroports ?* Ça, c'était Mary. Une vraie poule mouillée.

Ah ! pensa Dolorès, personne n'est parfait. Est-ce que je suis partie hier soir sans lui dire au revoir ? Oui. Est-ce que je l'ai fait exprès juste pour lui faire savoir à quel point j'étais bouleversée et en colère ? Oui, et c'était très égoïste de ma part. Et bien sûr, connaissant Mary, elle aura un beau rôti braisé entouré de légumes en train de mijoter dans la cocotte. Au cas où un invité se présenterait pour souper. Un invité qu'elle espérerait. Ça aussi, c'était Mary. Au début, elle pouvait vous rendre dingue avec son pessimisme. Puis elle faisait quelque chose de très généreux, comme de vous inviter à manger du rôti, et elle vous attendrissait… jusqu'à la prochaine fois.

Et à ce moment-là, Mary pénétra dans la fraîcheur de la vieille bâtisse de brique puis attendit sur le pas de la porte que ses yeux s'ajustent à la pénombre. Dolorès observa son amie de jeunesse aplatir ses cheveux de sa main abîmée par le jardinage, ôter une pince à cheveux et la replacer d'un geste raide et rajuster sa blouse pour s'assurer qu'elle n'était pas coincée quelque part. Elle leva les yeux au moment où Dolorès se précipitait vers elle. Tendant la main, celle-ci agrippa le bras dodu de Mary et la guida vers une table située à l'arrière du café, où elles s'assirent toutes deux.

« — On a des problèmes », murmura Dolorès.

« — Tu m'en diras tant », dit Mary en faisant la moue.

Puis Dolorès observa le visage de Mary. L'appréhension qui y naissait. La conscience du brouhaha dans la cuisine. La chicane qui y faisait rage, les cris et les hurlements. L'observa s'en exciter. L'observa prêter une oreille très, très attentive. La passion avait fait irruption dans leur petite ville et cela rendait sa vieille amie très, très heureuse.

4

Quand Wesley entra dans la cuisine du Café Molly Thorvaldson, Noreen se leva, estomaquée. Une onde de soulagement l'envahit. Elle voulait se jeter dans ses bras, nouer ses jambes autour de son corps, s'agripper à son cou, enfouir sa tête dans ses cheveux qui sentaient si bon et ne plus jamais, jamais le laisser partir. Puis sa mémoire rattrapa son cœur et le choc la fit tomber assise sur le plancher. Ses jambes étaient étendues devant elle, molles comme du coton. Elle était assommée par la peur, la honte et la certitude absolue que le monde, tel qu'elle l'avait connu jusqu'alors, était sur le point de s'effondrer.

Wesley se planta devant elle, serrant et desserrant les poings. « — Pensais-tu que Pembina Lake était pas sur la carte ? » Sa voix tremblait, une tornade tournoyant au-dessus de la terre. « J'ai demandé à un ami de m'amener jusqu'ici. Ça nous a même pas pris une heure. Et pour te trouver ? Facile. La ville est à peu près aussi grande que la photo de toi que j'ai dans mon portefeuille. Sans compter que mon camion est stationné juste en face d'ici, à la vue de tous et chacun. »

« — Je vais te rendre ton argent, dit rapidement Noreen. J'ai rien dépensé. »

« — J'en veux pas de mon maudit argent ! cria-t-il. Je te faisais confiance, Noreen ! Je t'aimais plus que ma vie, et regarde ce que tu nous as fait ! »

Elle lui rendit tout de même son argent, le lui lança. Il le fourra dans sa poche. Après quoi, il lui demanda les clés de son pick-up. Elle pleurait sans pouvoir s'arrêter et n'arrivait pas à les sortir de son sac à dos. Elle plongea la main dans le ramassis de cochonneries, qui était tout ce qu'elle possédait dans la vie – papiers de gommes, bouteilles de vernis à ongles, lunettes de soleil, vieux kleenex, cahier de notes déchiré, deux paires de petites culottes, un soutien-gorge de coton orange –, et tâta finalement le doux métal de son porte-clés. Elle le tira hors du sac et le lui balança aussitôt. Les clés heurtèrent la jambe de Wesley et tombèrent bruyamment sur le sol. Il se pencha, les ramassa prestement, lui tourna le dos et se dirigea vers la porte.

« — Wesley, je t'ai jamais aimé ! Ça fait que bonne vie, bon vent, bon débarras, maudit chien sale ! »

Il se retourna et revint sur ses pas, s'accroupit, la regarda, les yeux rouges et brillants de larmes. « — T'es la fille la plus dure que j'aie jamais rencontrée », finit-il par articuler.

Puis, fouillant dans sa poche, il sortit l'argent qu'elle lui avait rendu, compta avec soin deux cents dollars et les lui tendit. Posant un doigt sur le genou de Noreen, il ajouta : « Si le bébé que tu portes me ressemble le moindrement, je reviendrai te donner mon pick-up. »

Elle pouvait sentir son souffle sur son visage. Si elle s'y abandonnait, il marquerait sa peau à jamais. Il descendrait le long de sa gorge comme une petite flèche brûlante et irait se ficher dans son cœur. Alors, elle se redressa jusqu'à le dominer de toute sa hauteur, et là, debout, les jambes molles, elle lui cracha : « — Donne-toi pas ce mal-là, Wesley. Il verra jamais le jour. Je vais m'arranger pour. »

5

Dolorès Harper vit Wesley Cuthand sortir du café et monter dans son pick-up. La petite flamme qui avait grandi en elle depuis le début de la journée la fit bondir vers la sortie pour le rejoindre.

La vitre du côté passager était baissée. Alors qu'elle posait ses mains sur le vinyle couleur crème, Wesley se pencha vers le volant, l'air découragé, et mit le moteur en marche.

« — Je suis Dolorès Harper », dit-elle calmement en lui tendant la main.

Il leva vers elle des yeux ahuris. « — Wesley Cuthand », dit-il en l'imitant.

« — Oui, je sais, répondit-elle tandis que leurs mains se rencontraient. J'ai entendu le chahut à l'intérieur. »

Quelque chose dans le regard clair de cette femme, dans sa façon de le regarder, lui inspira confiance. « — Je me sens comme de la merde, si vous me passez l'expression. » Puis il se cala dans son siège.

« — C'est un beau camion que t'as là. Presque neuf. Pas cabossé à ce que je peux voir, dit-elle pour changer de sujet. Peut-être qu'on devrait aller quelque part où tu pourrais reprendre tes esprits. » Elle leva les yeux vers le ciel bleu profond. « C'est une magnifique journée. » Elle baissa les yeux. « Il y a un endroit où j'aime aller. J'y ai pas mis les pieds depuis l'automne passé. Ça me semble bien loin, aujourd'hui. » Elle s'arrêta puis ajouta pour faire bonne mesure : « C'était au temps des cerises. »

« — Montez », dit-il en s'étirant pour lui ouvrir la portière.

Les femmes de sa famille avaient de tout temps été autoritaires, de son arrière-grand-mère à ses cinq sœurs. Il avait beaucoup de respect pour les femmes de tête et elles ne manquaient jamais de lui donner du courage. Bientôt, ils franchirent le chemin de fer dans un bruit de ferraille, puis les pneus crissèrent sur la grand-route qui les conduisait hors de la ville.

« — Tu vois la butte, là-bas ? » Dolorès pointa la main en direction de la colline aux lys, le point culminant de la face occidentale de la vallée. « C'est à une dizaine de minutes d'ici. Tu prendras le prochain embranchement sur ta gauche. On va aller s'asseoir et contempler la vallée. De là, on peut la voir en entier. »

Elle croisa ses bras sur sa poitrine. C'était agréable de faire une balade en compagnie d'un très beau jeune homme. Elle comprenait pourquoi les jeunes filles pouvaient l'aimer. Il avait de longs cheveux couleur aile de corbeau. Et il sentait aussi très bon. Elle se rappela sa jeunesse et le temps où elle avait rencontré Raymond, comment il l'avait d'abord courtisée en l'invitant à danser une gigue à Pine Bluff. À cette époque, il avait la grâce d'une star de cinéma. Ah ! Raymond et ses bras musclés. Raymond et ses mains sur son corps. Les bébés qu'ils avaient faits ensemble, puis perdus en fausses couches, chaque perte épaississant le silence entre eux dans le lit. Et puis le jour où il avait tenu Mirella dans ses bras pour la première fois. Un miracle. « Elle est pas jolie, avait-il dit, un sourire fendu jusqu'aux oreilles, mais elle est assez mignonne. Je pense qu'on va la garder. »

Ils arrivèrent sur le haut plateau. Wesley engagea le pick-up sur une piste de terre défoncée, bordée de cerises à grappes. Les petits fruits étaient encore verts, mais déjà lourds sur leurs rafles. L'écriteau *No Smoking* accroché au rétroviseur se balançait d'un bord à l'autre au rythme des cahots. Bientôt, la piste se perdit dans les herbes hautes. Dolorès le dirigea vers une aire de terre vierge jusqu'à ce qu'ils atteignent, trois ou quatre minutes plus tard, l'endroit d'où ils pouvaient admirer un grand pan de la vallée, ses marécages, ses ruisseaux aux eaux lentes et le lac Pembina s'étendant vers le sud. Wesley éteignit le moteur. Ils restèrent là, en silence, les vitres baissées ; un vent chaud fleurant la sauge soufflait sur les terres et emplissait le camion d'une paix et d'un calme propres aux endroits sauvages.

« L'esprit est bon, ici, profond, dit Dolorès en rompant le silence. Je connais un homme qui vient ici tous les dimanches matin. Personnellement, je vais à l'église, mais je reste près de la Terre Mère, celle que mon amie Lynda appelle la Déesse de Toute la Poutine. Chacun son appellation, j'ai pas de problème avec ça, moi. Je me dis qu'on est tous connectés. » Elle se cala dans le siège couleur crème. « Crois-tu en quelque chose, Wesley ? »

« — Je crois au travail », répondit-il en regardant la vallée, l'air inconsolable.

La vieille femme eut un petit rire. « — Une maladie moderne. »

« — Je travaille depuis l'âge de onze ans. J'ai commencé en passant des circulaires. Après, j'ai aidé mon oncle à charroyer du gravier. Puis j'ai appris à conduire de la machinerie lourde. Ça paye les comptes. » Il sourit faiblement. « C'est avec ça que j'ai pu m'acheter le pick-up dans lequel vous êtes assise. »

Dolorès demeura immobile, ramenant à la surface ce qu'elle savait de lui à partir du récit de Noreen. Elle le guiderait à travers une série d'affirmations, qui le mènerait au cœur du sujet. Un parcours délicat. « — T'es très jeune », commença-t-elle pour se réchauffer.

« — Presque vingt et un. Je suis de la fin août. »

« — Des fois, c'est important d'arrêter de courir et de prendre le temps de penser », enchaîna-t-elle pour le surprendre.

Et il fut surpris. Il la regarda, ahuri, puis dit timidement : « — Je fais ça tout le temps. La compagnie pour laquelle je travaille a des contrats en dehors de la ville. Des fois, pendant mon heure de dîner, je m'éclipse. Je disparais pendant une demi-heure. »

Dolorès approuva en hochant la tête. « — Peut-être que t'es le genre de personne – comme mon Raymond, paix à son âme ! – qui peut rester assise sur un promontoire, au beau milieu de la prairie, et voir des réponses dans les vagues de chaleur qui montent de la terre. »

« — Je suis jamais allé jusque-là. »

« — Je connais aussi un homme qui transforme ses problèmes en poèmes, dit-elle en se dépêchant d'ajouter : Un vrai cadeau du ciel. »

« — J'ai jamais écrit un poème de ma vie. »

La vieille femme ferma les yeux comme si elle pressentait l'avenir. C'était trop facile. Le jeune homme était doux comme un agneau. « — Et comment t'as rencontré ta copine ? »

Wesley se retrouva à raconter son histoire préférée, omettant certains des détails les plus croustillants parce que ça ne regardait que Noreen et lui. Bien sûr, il passa sous silence le fait que, jusqu'à ce qu'il la rencontre – une réponse à ses prières –, il était complètement paumé. Ensuite de quoi, il parla de leur vie ensemble dans son minuscule appartement, lui racontant comment il avait pris soin d'elle et lui avait donné tout son amour, mais Noreen était si marquée par la vie qu'il ne croyait pas qu'elle puisse jamais être heureuse.

« Être heureux n'est pas tout, dit Dolorès. Pour dormir du sommeil du juste, il faut être bon pour soi-même et les autres. »

Wesley dut réfléchir une minute – elle l'avait interrompu en plein milieu de son histoire – avant de répondre doucement : « — Je pense que j'étais à mon meilleur quand j'étais avec Noreen. Elle me rend heureux. Enfin, me rendait heureux. »

Dolorès prit sa main dans la sienne, une main de fille, douce, s'émerveillant qu'elle puisse conduire de la machinerie lourde. « — T'as des responsabilités, à présent ».

« — C'est peut-être pas mon bébé, protesta-t-il. Y'a eu d'autres gars dans sa vie. En plus, elle veut plus rien savoir de moi. Elle me l'a dit. Tout ce qui l'intéresse, c'est briser des cœurs », ajouta-t-il amèrement.

Elle réfléchit, puis poursuivit gentiment. « — De la façon dont les choses se présentent, Wesley, quelqu'un va être papa. »

Il soupira – un soupir chargé de trouble – et laissa sa main dans celle de la vieille femme. Elle vit ses yeux se remplir de larmes. Resserra sa poigne. Pauvre garçon, pensa-t-elle. Ton chagrin vient juste de commencer.

6

Quand Dolorès revint, Mary faisait encore le pied de grue au café. Elle leva les yeux vers la vieille amérindienne, fronça les sourcils puis, d'un ton plein de sous-entendus, dit à Lynda, qui se resservait un café : « Y'a pas quelqu'un qui pourrait s'asseoir pour faire changement ? »

Quelque chose dans la façon dont Mary était assise – ses mains crispées sur sa tasse – replongea Dolorès dans l'automne précédent. Lors de leur dernière cueillette de petits fruits. Mary n'était pas la même. Elle avait l'air fatigué. Elles s'étaient chicanées à propos de... Dolorès avait beau se creuser les méninges, elle n'arrivait pas à se souvenir du sujet de la dispute. Lorsqu'elle avait revu son amie deux jours plus tard, Mary lui avait semblé encore plus fatiguée. Dolorès se souvint d'avoir dit : « On n'est pas obligées de faire la confiture aujourd'hui. » Mais Mary avait levé la main, la chair de ses doigts toute bouffie autour de ses bagues en or, et avait dit : « Non, ce sera une bonne chose de faite. » C'était arrivé à peu près au même moment où elle avait cessé de conduire son auto, cessé pratiquement toute activité extérieure, à dire vrai. Dolorès l'interrogerait plus tard à ce sujet.

Lynda retournait déjà en cuisine. « — J'ai de la salade de chou à faire – il va y voir deux ou trois gros mangeurs pour souper – et après, c'est tout. Je ferme tôt, aujourd'hui. La semaine a été... bizarre. »

« — Excuse-moi d'avoir été partie si longtemps. Je vais t'aider, l'assura Dolorès. Il doit y avoir un peu de rangement et de nettoyage à faire. Reste où tu es, Mary, bouge pas. Et bois ton café. »

Mais Mary ramassa sa tasse, se leva avec raideur et les suivit. « — Il faut que t'engages quelqu'un, Lynda. À temps plein. »

« — J'ai vraiment pas les moyens. »

« — Oui, tu les as. T'as juste à ouvrir plus longtemps. Pour attirer plus de clients. »

« — Il faut que je pense à mon fils. »

Tais-toi, Mary, pensa Dolorès. Tu ne vois pas qu'elle en a assez eu pour aujourd'hui ? Mais comme à son habitude, Mary fut incapable de la boucler.

« — T'es toujours fermée le dimanche et le lundi. Ç'a pas de bon sens ! »

Lynda gémit. « — Les affaires sont pas assez bonnes. J'ai de la misère à tenir le coup comme c'est là. Je me vois vraiment pas ouvrir sept jours sur sept. Moi, je vendrais tout de suite si j'avais une offre, mais qui voudrait m'acheter ? Personne. Je suis prise au piège. »

« — Prise au piège ? » répéta Mary avec indignation tandis que son visage s'empourprait de colère. Elle leva une épaule comme un boxeur sur le point de donner un coup, inspira profondément et lui envoya : « Tu vas devenir vieille et aigrie comme moi, et ils vont t'enterrer entre ta mère et Joe Hartman, au cimetière, en haut de la colline, avec des lilas rabougris, été après été, et des bancs de neige hauts comme mon cul, hiver après hiver, pour des siècles et des siècles, amen. Ça, ma fille, c'est être prise au piège ! »

Bon, maintenant le mal est fait, pensa Dolorès. Elle vit le corps de Lynda s'affaisser, le sentiment d'échec l'envahir.

Seth demanda à sa mère de lui faire un sandwich à la cassonade sur du pain blanc chauffé au micro-ondes.

« — Dans une minute, mon amour », lui répondit Lynda avec l'air qu'elle affichait de plus en plus souvent, comme si elle avançait dans la vie à travers un épais brouillard. Un signe criant de ce que les anciens appelaient *l'esprit malade*, pensa Dolorès.

« — J'ai faim », se plaignit Seth.

« — Je vais te le préparer, ton sandwich, décida Mary. Mais juste si tu dis s'il vous plaît. Et va me laver ces mains-là. On dirait que tu reviens de jardiner. »

Seth dit s'il vous plaît, courut à la salle de bain, ouvrit le robinet, éclaboussa de l'eau dans le lavabo, puis essuya ses mains encore crasseuses sur les serviettes bleu pâle de sa mère. La fille, Noreen, était repassée par ici et avait laissé une boîte vide et un bâtonnet au bout coloré sur le réservoir de la toilette. Il les apporta pour les montrer à tante Dolorès, à tante Mary et à sa maman.

o

Au deuxième étage, dans le lit de camp à la courtepointe rose, Noreen était étendue sur le dos et méditait sur sa vie en ruines. Elle était enceinte ; le satané test venait de le confirmer. Il n'était pas question qu'elle pile sur son orgueil et appelle Gladys. Et Wesley était parti. Dans la poche latérale de son sac à dos, se trouvait l'argent qu'il lui avait donné. Au moins, il avait un peu de respect pour elle. Au moins, il ne l'avait pas laissée en plan comme Tyler, son ex. Elle se ferait avorter. Puis elle se trouverait un emploi quelque part, n'importe où, et essaierait de ne pas revenir sur le passé.

Toutefois, cette pensée en fit surgir une autre : *qui m'aimera ?* Et aussitôt, son cœur se figea de terreur. Elle s'endormit et rêva de nouveau qu'elle faisait du pouce sur la grand-route. Seulement, il n'y avait plus de gentils papas cow-boys conduisant de grosses voitures pleines d'enfants et de chiens. Le rêve était chargé de sang, de couteaux et d'hommes qui lui voulaient du mal. Elle trouva une boîte de carton au fond d'un fossé. Et s'y cacha en tremblant.

7

Lynda sortit par la porte arrière avec un sac à ordures et trouva la chienne qui gémissait, couchée sur le flanc. Ce qu'elle vit un peu partout dans l'herbe lui confirma que Tessie était malade. Une odeur fétide s'exhalait de la bête. Il lui vint à l'esprit qu'elle avait été empoisonnée. « Tessie… Tessie… », murmura-t-elle en flattant la grosse tête poilue.

La chienne donna un coup de pattes postérieures, comme agitée d'un violent spasme. Lynda s'agenouilla, la prit dans ses bras et tituba sous ses trente-quatre kilos de poids mort jusqu'à la familiale rouge. Elle déposa la bête par terre pour ouvrir la portière, puis la reprit avec peine et la poussa jusqu'à ce qu'elle soit étendue sur la banquette arrière.

Lynda retourna à l'intérieur où Seth, assis à la table, attaquait innocemment sa deuxième tartine de cassonade passée au micro-ondes.

« — Tessie est malade », dit-elle discrètement aux autres.

Dolorès se retourna en essuyant ses mains sur une serviette. Mary releva la tête, occupée qu'elle était à balayer des miettes de pain sur le comptoir.

Seth déposa son goûter. « — Je te l'ai dit ce matin qu'elle allait pas bien. Tu m'as pas écouté. »

Il sauta en bas de sa chaise et courut vers la porte. Mais Lynda le rattrapa, s'accroupit pour être à sa hauteur, tint ses mains dans les siennes et le regarda droit dans les yeux : « — Il faut que tu restes ici, mon trésor. »

« — Qu'est-ce qui est arrivé à mon chien ? »

Il était sur le point de se mettre à pleurer. Elle se demanda ce qu'elle devait lui dire. « — Je pense que Tessie a mangé quelque chose qui l'a rendue malade. Il faut que j'aille avec elle lui chercher des médicaments. O.K. ? » Elle se releva rapidement. Dolorès et Mary s'approchèrent et encadrèrent Seth. « Qu'est-ce qu'on fait de notre future petite maman, en haut ? »

« — On va tous aller chez moi, l'assura Mary. J'ai un rôti sur le feu, qui doit être aussi sec qu'un pruneau au moment où on se parle, mais il devrait y en avoir pour tout le monde. Viens nous rejoindre quand t'auras fini chez le vétérinaire. »

« — Allez, vas-y, dit Dolorès. On se charge de fermer. Je m'occupe de la caisse. »

o

Là-haut dans son lit, Noreen s'extirpa du monde flou aux confins de ses rêves ; son cœur battait la chamade.

« — Noreen, disait une voix, mon chien est malade. »

Elle ouvrit les yeux ; sa vue était embrouillée. Elle cligna des yeux pour éclaircir son regard. Rien n'y fit.

« Tessie est malade », la pressa le garçon en la secouant.

« — Quoi ? » S'il te plaît, s'il le plaît, disparais, pensa-t-elle.

Mais il restait là. « — Ma chienne a mangé quelque chose de pas bon, poursuivit-il, et là, elle est malade. »

Une vague image se dessina. Hier soir. Dans le salon illuminé par les éclairs. En cherchant la télécommande dans le divan, elle avait trouvé quelque chose de dégueulasse – un os visqueux – et l'avait jeté à Tessie.

Irritée, Noreen se réveilla complètement. Tout ce qui restait de son sommeil avait foutu le camp. « — Je lui ai donné quelque chose, hier soir, lui dit-elle en se frottant les yeux. C'était écœurant, mais elle le voulait. Elle va le vomir.

Les chiens dégueulent toujours plein de trucs. Maintenant, va-t'en. »

« — On lui donne pas des trucs juste parce qu'elle les veut, persista Seth d'un ton sérieux. Il y a des chiens qui veulent du chocolat. Mais il faut pas leur donner de chocolat. Le chocolat, c'est un poison à chien. Lui as-tu donné du chocolat ? »

« — Tu peux t'en aller, maintenant. » Noreen frappa son oreiller du poing, lui tourna le dos et se recoucha.

« — Il faut y aller. »

« — Quoi encore ? » jeta-t-elle, agacée.

« — Il faut partir avec tante Dolorès et tante Mary. Maman est allée chez le vétérinaire. Noreen ? »

Elle fixait le mur. Sans bouger. Une horrible sensation avait commencé à monter en elle. « — Qu'est-ce qu'il y a ? » dit-elle enfin.

« — Qu'est-ce que t'as donné à mon chien ? »

8

Delbert Armstrong revint de faire ses courses, du bois de construction tressautant dans la boîte de son pick-up. Il mit la main dans une poche de son jean, en sortit sa montre et ouvrit d'un petit coup sec la partie mobile du boîtier.

Il pensa au calme dans le chalet de Danny. Après la mort de son frère, il avait pris l'habitude de se terrer là, les soirs d'hiver, une bûche dans le foyer, un verre de whisky à la main, l'album de photos de famille sur les genoux. Il buvait jusqu'à ce que les photos s'embrouillent. Tendant un bras rendu mou par l'alcool, il ramassait les vieilles cartes de fête et les coupures de presse jaunies qui avaient glissé de leurs cachettes, entre les pages sombres des souvenirs de famille. Une carte pour leur mère : « Bonne fête des Mères, maman. De Dan et

Del. » On n'avait jamais signé « avec amour » dans leur famille. Une photo de lui à sept ans – tenant un brochet argenté long comme son bras – grimaçant pour le photographe, son frère Danny. Il y avait aussi les dernières photos de Danny et lui en train de construire le chalet. Sur l'une d'elles, la meilleure, ils posaient des bardeaux sur le toit, torses nus, debout dans le ciel comme un duo de jeunes dieux, faisant des signes de la main à Vera, la fiancée de Danny.

Tant de temps s'était écoulé depuis. Après que Danny se fut noyé, Vera avait déménagé à Calgary. Trente-cinq ans, une éternité. En revanche, certains jours – surtout depuis qu'il était sobre –, il se souvenait de ce que c'était d'avoir dix-sept ans.

Il venait juste de traverser Willow Point quand, au sud de la ville, à la petite clinique vétérinaire située sur les berges de la rivière Mouse, il remarqua une familiale rouge qu'il connaissait, stationnée à l'avant. Son cœur fit trois tours. Il ralentit, puis s'arrêta sur l'accotement pour ne pas gêner la circulation. Quelque chose devait clocher avec leur chienne. Peut-être devrait-il aller voir s'il pouvait les aider. Il resta assis sans bouger dans la cabine de son pick-up, hésitant plusieurs minutes, se demandant de quoi il aurait l'air s'il se présentait comme ça, sans raison.

« Ah ! et puis merde ! » marmonna-t-il avant de s'engager dans le stationnement de la clinique.

Il trouva Lynda dans la salle d'attente. Il n'y avait personne d'autre, l'heure du souper étant passée depuis longtemps. Sa tête était courbée – elle avait l'air fatigué – et sa magnifique chevelure roux doré tombait en cascade le long de son visage. Il était déchiré entre la sympathie et l'extase.

« — Lynda, dit-il en s'approchant d'elle. Je passais. J'ai vu ta voiture. »

Elle leva la tête. Elle avait pleuré. « — Salut », murmura-t-elle. Elle sortit un kleenex de sa poche de jean et se moucha. « Tessie est malade. Ça se présente mal. Ils prennent des radiographies… » Sa voix se brisa.

Il ôta son chapeau en signe de compréhension et passa une main dans ses cheveux fous. « — Je vais rester. Jusqu'à ce que tu saches. »

« — T'es pas obligé », dit-elle, puis elle renifla et se moucha de nouveau.

« — Je suis pas obligé, mais je veux. »

o

Lynda fixa Del. Après cette horrible journée, elle était si reconnaissante qu'il lui tienne compagnie qu'elle se remit à pleurer. C'était gênant. Mais sans plus. Tout compte fait, la présence tranquille de cet homme timide était bienvenue dans cette salle d'attente tapissée d'affiches de chiens et de chats, d'avertissements contre les vers du cœur, d'incitations à faire vacciner son animal domestique régulièrement, saturée d'odeurs de poils, de peur et de remèdes, et dont la fenêtre du mur ouest offrait une vue sur le soleil du nord encore suspendu au-dessus des collines. Et lorsqu'une demiheure plus tard, le docteur Marina Howard – une femme aux traits tirés et aux yeux fatigués – invita Lynda à venir voir les radiographies, il sembla tout naturel que Del se lève et les suive pour être mis au courant, lui aussi.

La vétérinaire attira leur attention sur une radio des intestins de Tessie. « — Qu'est-ce qu'elle a mangé ? Ça ressemble à un éclat d'os. Voyez, ici, le fragment en forme de flèche ? Il s'est logé dans ses boyaux. » Elle regarda Lynda d'un air accusateur. « En général, c'est le poulet, le coupable. »

« — Je lui ai jamais donné de poulet, dit Lynda dont le cœur se mit à battre la chamade. Jamais je lui aurais donné d'os de poulet. »

« — Bien sûr », dit la vétérinaire, comme si elle n'en croyait pas un traître mot.

« — Je fais très attention. Honnêtement, je... quoi que... » Elle fit une pause, puis enchaîna. « En fait, je dois avouer que je me souviens avoir vu mon fils se promener avec une cuisse de poulet… mais jamais il ne… Je veux dire, je lui ai appris que… » Sa voix mourut.

« — Parfois, les enfants, bien involontairement, nourrissent les animaux avec de mauvais aliments, formula la vétérinaire en s'adoucissant. Est-ce que Tessie aurait eu, par hasard, de violentes diarrhées ? »

Lynda observa les lèvres du Dr Howard remuer, enregistra les mots, puis réussit à articuler : « — Je n'ai… je n'ai pas remarqué. J'imagine que j'aurais dû. Je l'ai trouvée, voyez-vous, après qu'elle ait été malade. Pas mal plus tard. Elle était couchée… »

« — Je vais lui donner des antibiotiques et quelque chose pour calmer ses spasmes intestinaux. Je vais devoir la garder ici. »

« — Ici ? »

La vétérinaire la fixa sans broncher. « — Tessie aura sans doute besoin d'une chirurgie. Mais il se peut qu'elle élimine le bout d'os par voie naturelle. Pour l'instant, il faut s'armer de patience. Retournez chez vous. Vous reviendrez la voir demain matin, si vous voulez. On ouvre à huit heures. »

Lorsqu'ils sortirent dans le stationnement, Del la surprit. « — Laisse ta voiture ici. Je te ramènerai demain matin. »

Son offre était douloureusement sincère. Il se tenait là, le soleil couchant derrière lui, légèrement ployé, gauche, comme s'il n'espérait rien.

« — O.K. », répondit-elle d'un ton hésitant. En route vers la ville, elle admit d'une voix douce : « Je suis vraiment contente que tu me ramènes. J'étais au bout de mon rouleau. Merci, Del. »

« — C'est rien », dit-il en clignant des yeux, le regard fixé droit devant lui.

Vingt minutes plus tard, ils étaient de retour à Pembina Lake, garés devant la petite maison de Mary avec sa vue imprenable sur le lac. La lumière intime du soir disparaissait peu à peu, et Lynda se mit à parler de Noreen.

Pendant qu'elle lui rapportait les événements, Del évita ses yeux, regardant par-delà son épaule la fenêtre tout illuminée de la cuisine de Mary. La vieille femme laissait ses lumières de Noël à longueur d'année dans un étalage optimiste de gaieté usée.

« — Y'a pas d'autobus avant vendredi prochain », dit-il enfin.

« — Je sais, soupira Lynda. Avec un peu de chance, elle va vouloir partir sur le pouce. »

« — Peut-être qu'elle devrait rester ici un petit bout de temps. » Il fit bouger son index en direction des chalets situés sur le bord de la plage, en contrebas. « Peut-être qu'elle pourrait s'installer dans le chalet de Danny. »

«— Penses-y même pas! s'écria Lynda, choquée. T'as dépensé une petite fortune pour l'agrandir et l'améliorer. On a tous hâte que tu t'y installes.» Il la regarda avec un intérêt soudain. «Excuse-moi. Je pensais que c'était dans tes plans. Dolorès m'a dit que tu l'as même isolé pour l'hiver.»

Del frotta la poussière sur son genou. «— Les chalets, c'est pour les familles, Lynda…» Il s'arrêta, hocha la tête, agrippa le volant.

Lynda n'en revenait pas. Elle voulut changer de sujet. Mais tout ce qui lui venait à l'esprit sonnait faux. Elle connaissait Del depuis des années. Dans une ville de la taille de Pembina Lake, tout le monde se connaissait depuis des années. Mais les gens gardaient toujours un secret. Un moyen de survivre à la promiscuité, au sentiment de vivre sans cesse dans une vitrine. Ainsi isolés les uns des autres, les gens portaient des peines inavouées dont ils n'osaient parler. Comme Joe Hartman. Le jour où sa mère avait été enterrée, il avait passé son bras autour de ses épaules, puis l'avait tenue contre son cœur et l'avait embrassée trois fois sur la joue. Elle avait vingt-trois ans. Depuis le temps qu'elle le connaissait, jamais il n'avait eu un tel geste à son endroit. Jamais il ne l'avait touchée par affection. Tout à coup, elle réalisa que jamais elle ne lui avait donné la chance d'être ce qu'il avait souhaité depuis le début : un père pour elle.

À cette époque-là, Del avait son âge actuel : trente-six ans. Il se soûlait, traînait partout et avait une terrible réputation auprès des femmes. À présent, il était là, assis à côté d'elle, timide et sobre. Elle observa son profil, sa maigre silhouette. Ils étaient des étrangers dans cette petite ville isolée. En serait-il toujours ainsi ?

Del s'appuya contre la vitre et dit d'une voix basse : « — On dirait bien que Mary t'attend. Allons-y. Tu me présenteras la fille. »

9

Noreen aidait mollement Seth à faire un dessin sur une grande feuille de papier blanc. Un contenant de crème glacée rempli de crayons de cire cassés avait été sorti du placard, qui sentait le renfermé. Certains crayons étaient si vieux que leurs papiers étaient maculés de graisse. Tout de même, leurs couleurs étaient belles sur le blanc de la feuille. L'odeur de cire apaisa le désespoir qui l'avait rongée toute la journée.

« — J'aime le jaune, dit Seth. T'aimes le jaune, Noreen ? »

« — Pas pire. »

Il grimpa sur ses genoux pour pouvoir atteindre le haut de leur dessin, étendu devant eux sur la table de cuisine : vertes prairies, fleurs jaunes et ciel bleu. Elle souhaitait qu'il s'en aille. Quelques heures plus tôt, il avait été si affecté par l'état de santé de son chien qu'il avait marché d'un pas lourd, loin devant tout le monde, et Dolorès avait dû lui demander de ralentir et de faire gaffe aux voitures. Lorsque l'autre vieille dame avait voulu lui prendre la main, il avait crié «non!» et s'était enfui en courant. Maintenant qu'il semblait avoir oublié Tessie, il avait recommencé à être tannant. Même lorsqu'elle se cala davantage dans sa chaise, il tint bon en nouant ses maigres gambettes autour des siennes et en enfonçant ses orteils crottés et collants derrière ses mollets.

Les deux vieilles dames préparaient le souper tout en espionnant Lynda Bradley, qui, apparemment, était stationnée dehors avec quelqu'un. Devant l'évier, Mary touillait du chou haché et des pommes coupées dans un bol et regardait par-delà la guirlande de lumières déprimante et poussiéreuse, qui était fixée autour de la fenêtre de la cuisine.

«— Il reste là. Et elle bouge pas. De toute façon, on le saura bien assez vite.»

Dolorès alla à l'évier, y lança une cuiller et dit: «— Elle pourrait trouver pire.»

«— De quoi tu parles?»

«— De ces deux-là.»

«— Lynda et Delbert? Dolorès, tu fais de la fièvre. Qu'est-ce que notre Lynda pourrait trouver d'intéressant à Delbert Armstrong!»

Dolorès haussa les épaules. « — La passion, ça se discute pas. Et en plus, il a une âme d'artiste. »

Noreen déposa un crayon jaune, en prit un bleu. Soudain, Seth sauta en bas de ses genoux, se glissa sous la table et ressortit en courant de l'autre côté.

« — Del ! » hurla-t-il.

Mary le rappela à l'ordre. « — Laisse pas retomber la... »

La porte-moustiquaire grinça sur ses gonds, puis claqua bruyamment.

Quelques minutes de silence. Noreen acheva de colorer le ciel, commença une volée d'oiseaux rouges. Elle pensait à la passion. À ce que ce mot signifiait. Ce qu'elle ressentait pour Wesley s'apparentait sans doute à de la passion. Au début, bien sûr, c'était une commodité. Il était là. Elle était désespérée. Plus tard, par contre, ça s'était transformé en feu, une chaleur intense qui montait le long de ses jambes et irradiait dans tout son corps jusqu'à ce que son sang semble s'épaissir et circuler plus lentement dans ses veines. Ce qu'elle éprouvait pour Wesley la rendait malade de désir. Était-ce ça, la passion ?

Elle essaya de se souvenir de ce qu'elle avait ressenti pour ses autres copains. Elle s'était sentie seule en leur présence. Elle se sentait toujours seule. Sauf lorsqu'elle avait rencontré Wesley ; les choses avaient commencé à changer. Parfois, le matin, elle se tournait dans le lit et le surprenait à la regarder. Elle avait mis plusieurs semaines à s'apercevoir qu'il aimait la regarder dormir. Et quelquefois, l'espace d'un moment, lorsque Wesley l'observait de ses yeux brun sombre remplis de lumière, elle s'était sentie comme quand elle était petite, en sécurité avec Gladys, qui disait l'aimer jusqu'aux étoiles. Ça, ce n'était pas de la passion. C'était autre chose. Mais quoi ? Son estomac se noua. Elle se sentit vide et tendue.

Elle passa sa main sur son visage. Plongea ses doigts dans ses cheveux. Penser, penser, penser. Elle détestait penser. Les souvenirs se pressaient dans sa tête comme des petits démons soufflant leur haleine brûlante. Elle ne voulait plus penser. Elle prit un crayon bleu cobalt et mordit dedans. Elle n'avait pas fait ça depuis l'âge de sept ans. Quand elle était petite, le goût des crayons de cire la réconfortait. Exception faite d'aujourd'hui. Sa bouche se remplit aussitôt de cire huileuse ; l'odeur lui monta au nez et lui donna mal au cœur. Elle cracha le crayon dans sa main, le regarda, tout écrabouillé et visqueux, et essuya discrètement sa main sous la table.

Seth réapparut avec Lynda et un homme d'âge mûr, très grand, portant un chapeau de cow-boy. Il ôta son couvre-chef, passa sa main dans son épaisse crinière grise et lui fit un signe de tête. Pas de sourire. Elle lui renvoya son salut, incapable de détacher ses yeux de lui. Il sortait tout droit de ses rêves de pères cow-boys. Elle se demanda si c'était une sorte de présage. Avec sa veine, c'était sans doute un mauvais présage! La chienne était peut-être morte. Ou, à tout le moins, mortellement atteinte.

Ils furent présentés l'un à l'autre. Elle continua de le fixer tandis qu'il s'asseyait en face d'elle, s'imprégnant poliment du décor. Mary lui apporta un café et lui dit, mi-figue, mi-raisin : «— C'est gentil de ta part d'avoir ramené Lynda, Del.»

Lynda disparut quelque part dans la maison. Dolorès la suivit sans tarder. Seth se faufila sous le bras de Del jusqu'à ce que ce dernier le tienne dans une sorte d'accolade, leva les yeux vers l'homme et lui demanda d'une voix hésitante : «— Est-ce que ma maman est fâchée contre moi ?»

«— Non.»

«— Et qu'est-ce qui s'est passé avec Tessie ?» s'enquit Mary à Del.

«— La chienne a un problème d'intestins.»

«— Delbert Armstrong, s'écria Mary, irritée, t'es vraiment le roi de l'information !» Elle essuya ses mains avec un linge et partit à la recherche de Dolorès et de Lynda.

Noreen repoussa le dessin du revers de la main, barbouillant du coup la volée d'oiseaux rouges.

« — Demain, dit Seth, j'y vais avec toi. » Il cogna plusieurs fois sa tête contre le torse de Del en scandant : « Je veux. Voir. Mon chien. Je veux. Voir. Mon chien. »

« — Fais attention, dit Del en éclatant de rire. Fatigue-toi pas. »

Seth se jeta vers l'arrière jusqu'à ce qu'il pende des genoux de l'homme, tête en bas. Del le rattrapa – et ils se mirent tous deux à rire – alors que le petit garçon glissait lentement vers le plancher.

Noreen se mit à dessiner d'autres oiseaux en vol, étrangement jalouse de Del et Seth. De leur familiarité apparente. Elle laissa cette jalousie s'infiltrer en elle. La remplir goutte à goutte. Tout plutôt que d'être rongée par l'anxiété ou la tristesse. Elle s'accrocherait à sa jalousie comme à un bien précieux. Elle déposa le crayon rouge. En choisit un kaki foncé. Elle s'en servit pour colorer le bas de la feuille, dessinant des racines aux brins d'herbe, jusqu'à ce que le pré couleur jade flotte sur une ombre longue et terreuse comme un crocodile.

Plus tard, sur le patio de Mary – les chandelles à la citronnelle luisaient, les étoiles faisaient leur entrée sur l'immense scène céleste, un quartier de lune était suspendu au-dessus du lac sombre, et Seth était blotti contre elle dans une large chaise de bois –, quelque chose de doux se mit à la chatouiller très loin au fond d'elle-même, la prenant par surprise.

Vers minuit, les convives commencèrent à ramasser leurs affaires, qui son sac à main, qui son blouson, qui son chandail. Seth s'était assoupi contre sa poitrine. Lynda le réveilla et détacha son petit corps chaud de celui de la jeune fille. Il chancela sur ses pieds. Noreen réalisa qu'elle ne voulait pas qu'ils s'en aillent. Elle était paniquée à l'idée de ce qui se passerait par la suite. De ce qu'elle ferait. De l'endroit où elle irait.

Delbert Armstrong, le chapeau perché à l'arrière de la tête, vint la rejoindre, alors qu'elle se sentait de plus en plus petite, les mains dans les poches, ses pieds nus devenant froids contre le bois du patio.

« — J'ai un chalet que j'utilise pas, dit-il d'un air sérieux. Tu serais la bienvenue d'y rester. »

10

Lynda resta assise dans le pick-up avec Seth pendant que Del accompagnait Noreen à l'intérieur du chalet, le lui faisait visiter, lui en remettait les clés. Tout ça la déconcertait. Superbe structure de cèdre, le chalet était demeuré quasi inutilisé durant des années. Et à présent, il y avait la rallonge – et son parfum de bois frais – que Del avait construite lui-même au cours des deux derniers étés. Elle avait peine à imaginer qu'il ait pu offrir à Noreen de s'y installer.

Le printemps passé, lorsqu'elle avait découvert que Seth avait volé la montre de Del, elle en avait été mortifiée. Mère et fils s'étaient immédiatement rendus à la ferme Armstrong, juste au nord de la ville, où Seth, en larmes, avait avoué son larcin et s'était excusé. Del avait pris la montre dans sa main rugueuse, les champs fraîchement semés s'étendant derrière lui. Il n'avait pas eu l'air fâché, heureux ou même surpris. Toutes ces semaines, il était venu au café demander si, par hasard, quelqu'un l'avait rapportée. Et pourtant, en ce jour de printemps, il s'était tenu là comme un homme qui vient de ramasser une pierre et la met distraitement dans sa poche. Puis, avec sa permission, il avait invité Seth à s'asseoir avec lui dans la cabine de son gros tracteur John Deere. Elle les avait regardés accomplir lentement une demi-douzaine de boucles autour du champ. À leur retour, ils étaient copains. « Qu'est-ce que tu dis de ça ? s'était exclamé Del tandis qu'ils se dirigeaient vers elle. On a fait sourire ta mère. »

La lumière au-dessus de la porte du chalet s'alluma. Quelques secondes plus tard, Del lui-même apparut.

« — T'es sûr que tu veux qu'elle reste là ? » lui demanda Lynda.

« — Ouais. » Il démarra le camion.

Puis il les reconduisit jusqu'au café, où elle le remercia pour tout ce qu'il avait fait ce jour-là. Gêné par sa gratitude, il enchaîna rapidement, disant qu'il serait de retour à huit heures le lendemain matin pour les conduire à la clinique vétérinaire.

Lynda monta Seth à l'étage et le mit au lit. Elle ne lui demanda pas s'il savait quelque chose à propos de l'os que Tessie avait avalé, ne voulant pas le perturber davantage. À présent, il voulait dire une prière à l'Univers et à Jésus et à la Déesse et au Créateur pour toutes les bonnes choses qui étaient arrivées ce jour-là. Il pria pour la guérison de Tessie et son retour prochain à la maison. Elle regarda le petit visage rose de son fils alors qu'il disait sa prière et se sentit coupable de cette curieuse éducation religieuse qu'elle lui donnait, de cette vie qu'ils menaient et de cette solitude à laquelle elle l'exposait.

Puis elle l'embrassa, l'étreignit et se souvint du matin où elle avait trouvé le courage de quitter Larry, son mari. De sa peur en partant de Winnipeg au milieu d'un âpre blizzard de février, le grésil fouettant les vitres, la chaufferette faisant entendre sa plainte. Et Seth, attaché dans son siège, emmitouflé dans son habit de neige avec son foulard et sa tuque bleue qui ne cessait de tomber, ses cheveux droits dans les airs à cause de l'électricité statique, sérieux comme un petit pape. Elle avait conduit, conduit et conduit encore jusqu'à ce qu'elle retrouve le chemin du seul endroit où elle savait que des gens se souvenaient encore d'elle.

o

Assis dans son pick-up garé devant l'appartement qu'il avait partagé avec Noreen,

Wesley Cuthand se languissait de ses proches. Sa mère lui manquait. Oui, elle lui avait cassé les pieds durant les dix-huit années qu'il était demeuré dans la maison familiale, mais malgré tout, elle était la meilleure mère qui soit. Ses cinq sœurs lui manquaient. Toutes plus intelligentes que lui et aussi casse-pieds que leur mère, elles étaient les meilleures sœurs qui soient. Toute sa famille était éparpillée à travers le pays. Comment était-il possible d'aimer des gens à la folie et de ne jamais les voir ? Certaines personnes ne s'entendaient pas avec leur famille ou la détestaient tout simplement, mais elles la voyaient tout le temps. Quelle sorte de mauvais tour pervers de la vie était-ce ?

Pour un peu, il retournerait en Saskatchewan. Rien n'avait marché pour lui depuis qu'il s'était installé au Manitoba. Deux mois après son déménagement, il avait rencontré Chantelle, sa première amie de cœur. Il était heureux. Il avait un bon travail et une blonde super. Enfin, super au début, jusqu'à ce qu'il découvre qu'elle s'était tapé quasiment tous ses compagnons de travail, mis à part son ami Martin – qui lui avait peut-être menti, qui sait ? – et Mitch, le contremaître, un grand-père de soixante-trois ans avec des problèmes de prostate.

Après Chantelle, une profonde tristesse l'avait envahi, qui s'était transformée en chimère. Une chimère qui rôdait dans son âme. Il avait commencé à admettre qu'il avait peut-être été malchanceux avec les femmes. Il y avait eu Jackie, sa copine d'il y avait plus d'un an et demi, qui l'avait plaqué pour un culturiste et qui avait été la vraie raison de son départ de la Saskatchewan. Seul et furieux, il s'était mis à travailler comme un forcené, acceptant des quarts plus longs lorsqu'on lui en offrait. La plupart du temps, il fuyait la compagnie.

Un soir, alors qu'il roulait sans but dans le soleil couchant, perdu loin, très loin dans ses pensées, il n'avait pas remarqué un chien qui sortait du fossé, sautait sur la route, masse floue de pelage brun, qui fit un bruit sourd en passant – destin cruel et écœurant – sous les roues de son camion. La bête pantelait encore lorsqu'il avait stoppé, fait demi-tour, était sorti de son pick-up et s'était accroupi à côté d'elle, posant sa tête sur sa cuisse. La langue du chien pendait. Ses yeux fixes étaient couverts de poussière. Finalement, il s'était raidi. Il appartenait à quelqu'un – sur son collier, on pouvait lire Rex –; une médaille indiquait même le nom et le numéro de téléphone du propriétaire. Mais pour l'instant, il était mort, et lui, Wesley, l'avait tué.

Quelque chose s'était brisé à l'intérieur de lui. Il était remonté dans son pick-up et avait hurlé sa peine tout au long du trajet jusqu'à l'appartement. Pendant quelques semaines, il avait été envahi par la culpabilité de ne pas avoir téléphoné au propriétaire. D'avoir laissé l'animal là, son esprit errant seul sur ce tronçon de route. Le sentiment de culpabilité s'était intensifié. Quand la bête s'était mise à le poursuivre dans ses rêves, nuit après nuit, il avait décidé d'en parler à un psy. « Vous n'êtes pas fou, lui avait assuré celui-ci. Seulement, vous attirez à vous les mauvaises personnes ; elles vous laissent tomber et vous vous blâmez. Vous avez besoin de repos. »

Quelle vie sans issue ! Il désirait tellement plus. Au lieu de quoi, il était tombé amoureux de cette fille qui lui avait brisé le cœur, qui lui avait volé l'argent qu'il avait gagné en travaillant des heures supplémentaires et qu'il avait mis de côté pour quelque chose de spécial, comme une bague de fiançailles peut-être, si les choses avaient marché pour faire changement.

Pire encore, ils étaient séparés, elle allait avoir un bébé et, dans son effarement, il n'arrivait pas à concevoir qu'il pouvait en être le père. Au cours des deux premières semaines après sa rencontre avec Noreen – sur le même tronçon de route où il avait frappé le chien –, tous deux avaient été si imprudents que c'était une éventualité fort plausible.

Il sortit de son pick-up, entra chez lui, ôta ses bottes, s'étendit sur son lit froid et leva les yeux vers le ciel baroque que Noreen avait installé au plafond. Il sauta en bas du lit, se sentit comme un vieil homme. Il alla à la salle de bain. En entrant, il vit les longs cheveux pâles de Noreen qu'il avait découverts dans le lavabo, quelques heures auparavant, et qu'il avait jetés dans la corbeille. Il pensa à leur douceur soyeuse. Il se tint devant le miroir, s'appuya contre le lavabo – ses mains commencèrent à trembler – et regarda son reflet.

Je suis Wesley Cuthand, pensa-t-il. Je vis sur cette planète depuis presque vingt et un ans et qu'est-ce que j'ai fait de ma vie ? Il ôta l'élastique qui retenait ses cheveux. Ceux-ci ondoyèrent aussitôt autour de ses épaules. Dans l'ancien temps, avait-il entendu dire, les guerriers se coupaient les cheveux en signe de deuil. Il ramassa donc les ciseaux violets près du robinet d'eau chaude. Le présent ne serait jamais plus funèbre.

11

Lynda et Seth se tenaient sur le bord de la rue, même si la pluie de ce dimanche matin continuait de tomber dru. Elle ne voulait pas que Del vienne les chercher à l'intérieur. Elle ne voulait pas être obligée envers lui plus qu'elle ne l'était déjà. Alors, elle attendit sous la pluie, Seth collé contre elle sous son blouson.

Del apparut trois minutes plus tard, pile à l'heure dite. Tout bien habillé, même s'ils allaient seulement à la clinique vétérinaire. Avant qu'elle ne puisse atteindre la poignée de la portière, il avait déjà fait le tour du camion et l'avait ouverte pour elle, soulevant d'abord Seth et l'assoyant sur la banquette, puis plaçant son bras juste sous son coude de façon telle que le parfum de son après-rasage et la douceur de sa galanterie la firent inopinément se sentir les jambes molles. Elle réussit à monter dans le pick-up. La portière se ferma. Elle reprit son souffle. Fut incapable de le regarder lorsqu'il prit place sur le siège du conducteur, mais marmonna : « Merci, Del. C'est très gentil à toi. »

Chez le vétérinaire, une assistante – vêtue de bleu pâle et dont les longs cheveux brun foncé étaient tressés en une grosse natte – les guida vers l'arrière, jusqu'à la cage de Tessie. Lorsqu'elle les vit, la chienne leva la tête, puis la laissa retomber lourdement. Elle ferma les yeux, mais sa queue battit le sol à quelques reprises. Tous s'accroupirent à ses côtés. Seth s'étendit carrément sur le plancher, tendit ses doigts entre les barreaux de la cage. Tessie les lécha.

« — Salut, belle fille, dit-il. Tu te sens mieux aujourd'hui ? »

L'assistante sourit tristement : « — T'es une bonne chienne, hein, ma Tess. » Puis s'adressant à eux : « Docteur Howard n'est pas encore arrivée. Elle a téléphoné pour prendre des nouvelles de votre chien. Son état n'a pas beaucoup évolué. Plus tard, on compte lui faire faire un tour dehors pour voir si ça l'aide d'une quelconque façon. Si vous voulez rester, vous êtes les bienvenus. Cela dit, ça risque de prendre plusieurs heures avant qu'on puisse vous dire quoi que ce soit. »

« — Maman, est-ce qu'on peut rester ? demanda Seth. S'il te plaît. »

« — Pourquoi on n'irait pas déjeuner ? dit Del. Ça passerait le temps. »

Une fois de plus, Lynda fut envahie de reconnaissance. Tessie n'avait pas l'air bien du tout – apathique, abattue –, et une odeur écœurante émanait d'elle. Et si la vétérinaire ne pouvait rien pour la pauvre bête ? Elle avait entendu des histoires de chiens aux intestins perforés. C'était sérieux.

« — Je veux pas la laisser toute seule », gémit Seth, qui se mit à pleurer.

« — J'ai vu une balle de hockey à la quincaillerie. Un dollar vingt-neuf. » Del tourna son regard vers Lynda, puis de nouveau vers Seth. « Orange, qu'elle est. Ça ferait peut-être plaisir à ton chien. »

« — Oui, peut-être. » Seth renifla et s'essuya les yeux.

Ils allèrent déjeuner avec la promesse qu'au retour, ils stopperaient à la quincaillerie pour acheter un cadeau de prompt rétablissement à Tessie. Dans le camion, Lynda ne put s'empêcher de penser que, peu importe la tournure que prendraient les événements, une très grosse facture qu'elle n'aurait pas les moyens de payer l'attendrait au fil d'arrivée. Elle pensa aussi à sa vie qui avait été, à une certaine époque, pleine de promesses, mais qui se résumait désormais à une pile de factures qu'elle ne pouvait payer, à un commerce qu'elle ne pouvait gérer, à un fils qui lui donnait plus de joie qu'elle-même ne pouvait lui en donner, et à une solitude si profonde qu'un homme de quinze ans son aîné, avec lequel elle n'avait absolument rien en commun, pouvait lui faire ressentir des choses qu'elle n'avait pas ressenties depuis très longtemps.

o

Noreen se réveilla dans le petit matin terne. La pluie tambourinait sur le toit du chalet de Del Armstrong. Par-delà la fenêtre, tout dégouttait. Les vagues déferlaient sur la rive du lac dans un bruit sourd et constant. Dans la chambre humide, elle s'assit au milieu du lit recouvert d'une vieille courtepointe et sentit son esprit vieux de dix-sept ans couler jusque dans ses profondeurs les plus sombres.

Elle enfila ses chaussettes et se souvint que ses maigres possessions – dont un polar ayant appartenu à Wesley – se trouvaient au café. Wesley lui manquait. Il lui manquait tant qu'elle sentit un gouffre immense, qui pouvait bien être son cœur, se fendre en deux et tomber en morceaux. Elle réfléchit à ce sentiment puis réalisa que, comme le ciel qui s'était paré de pâles étoiles, hier soir, au-dessus du patio de Mary, l'Univers lui envoyait un message clair :

NOREEN STALL EST PROFONDÉMENT, TOTALEMENT ET TERRIBLEMENT EN AMOUR AVEC WESLEY CUTHAND

C'était un message terrifiant, terrifiant ! Il se diffusa dans son esprit, descendit dans son corps et vint se loger à l'endroit même où le bébé, pas plus gros que son petit doigt, dormait en chien de fusil, attendant de grandir et de se développer, en orbite à l'intérieur d'elle.

Elle sauta en bas du lit, passa devant la salle de bain, puis traversa le salon. La chambre où elle avait dormi, tout comme la salle de bain, avaient l'air neuves, sentaient le neuf, même. Toutefois, dans la grisaille qui entrait par la fenêtre donnant sur le lac, cette partie du chalet avait l'air usée. Au mur, quelqu'un avait agrafé l'affiche d'un gars aux longs cheveux en broussaille qui jouait de la guitare, un genre de hippie des années soixante. En fait, toute la pièce était pleine de vieilleries : près du foyer, un gros fauteuil était complètement caché par une couverture mexicaine en lambeaux dont les longs pompons effilochés traînaient sur le tapis bleu à longues mèches ; une bouteille de tequila Suavo vide, couverte de poussière, avait été laissée près de l'âtre ; et une guitare à laquelle manquaient trois cordes était appuyée contre un mur.

Elle s'assit dans le fauteuil, regarda par terre, remarqua un carton rempli à craquer de vieux albums de photos. Tendant la main, elle prit celui qui était le plus facile à attraper et commença à le feuilleter. Certaines photos étaient en petites piles, comme si elles attendaient d'être classées et collées. Entre les pages, elle trouva également des cartes de souhaits adressées à des gens et des coupures de presse pliées avec soin où l'on pouvait lire des choses comme « Monsieur et Madame Untel, accompagnés de leur fille », etc.

Elle tourna rapidement les pages jusqu'à la fin de l'album. Les photos couleur avaient toutes pâli, donnant aux visages des airs lessivés. Puis, à la dernière page – aussi vraie que nature –, une grande photo noir et blanc de deux jeunes hommes faisant des signes de la main du haut d'un toit. Elle regarda de plus près et fut secouée de reconnaître l'un d'eux : Del, un très jeune Del, mais c'était lui, aucun doute là-dessus. Se penchant en avant, elle posa l'album sur le plancher, le laissant ouvert à la dernière page. Puis elle se cala dans le fauteuil et fixa les deux jeunes visages pendant un long moment. L'autre gars devait être le frère de Del. Ils se ressemblaient. Mais il était beaucoup plus vieux, probablement la même différence d'âge qu'entre Gladys et elle.

Comme elle avait froid, elle se dit qu'elle pouvait peut-être faire un feu. Elle n'en avait jamais fait avant, mais ça ne devait pas être si difficile. Elle s'extirpa du fauteuil, écarta l'album de photos du bout de son gros orteil et enleva la grille du foyer. Près de la boîte de carton, rangés avec soin dans un panier, se trouvaient des journaux roulés et du petit bois sec. Et dans une niche, une brassée de bûches. Elle froissa quelques feuilles de journal, les mit dans le foyer, plaça du petit bois par-dessus et ajouta deux bûches. C'était très facile. Elle dénicha des allumettes sur le manteau de la cheminée. Après en avoir gratté cinq ou six et les avoir jetées sur le papier, le feu prit enfin. Elle se recula afin de le regarder s'embraser.

Mais quelque chose clochait : la fumée ne montait pas dans la cheminée. À la place, elle refoulait dans la pièce. Noreen courut à une fenêtre. Impossible de comprendre comment ouvrir le loquet. Elle essaya la fenêtre suivante. Dans sa panique, elle n'arriva pas à l'ouvrir non plus. La fumée avait commencé à envahir le chalet. Elle tenta désespérément d'ouvrir la porte donnant sur le patio. Celle-ci s'ouvrit enfin toute grande, et la brise et la pluie s'engouffrèrent dans la pièce.

Puis elle entendit un craquement derrière elle. En se retournant, elle vit une ligne de feu courir le long de la frange de la couverture mexicaine. La boîte de carton posée juste à côté s'enflamma soudainement. Noreen attrapa la couverture sur le fauteuil et se mit à en battre le carton. Des flammèches s'envolèrent. L'une d'elles atterrit sur le tapis, une autre sur l'album de photos. Elle se retourna brusquement : le fauteuil était maintenant en feu.

o

Dolorès Harper était plantée près de son poêle à bois. Mirella, sa fille unique, avait toujours insisté pour qu'elle s'en débarrasse, mais jamais, au grand jamais, elle ne le ferait. Elle tisonna le feu mourant à l'aide d'une longue tige de métal.

Aujourd'hui, c'était l'anniversaire de la mort de sa fille. Elle rêvait d'elle, à l'hôpital, ce jour fatal. Dans cette rêverie, elle tenait dans ses bras la maigre Mirella, à peine plus grosse qu'un moineau au creux de son lit. Elle pleurait et caressait doucement ses joues et lui disait adieu. C'était l'adieu le plus déchirant qu'elle ait jamais eu à faire. Plus déchirant que pour l'un ou l'autre de ses parents. Plus déchirant que pour sa propre sœur, il y avait bien longtemps. Plus déchirant même que pour Raymond, qu'il soit béni à jamais, doux Jésus. Dire adieu à son enfant devait être la chose la plus déchirante qu'une femme eût à faire.

Elle essuya ses larmes, replaça le rond du poêle, enfila son coupe-vent et sortit respirer l'air du dehors. Sans savoir pourquoi, l'inquiétude la gagna. Un crapaud se cramponnait à la balustrade de cèdre de son patio. Ses yeux ternes clignèrent. Sans plus hésiter, elle quitta vivement sa cour bordée de bouleaux dégoulinants et descendit le sinueux sentier à chevreuils qui menait au chalet de Delbert Armstrong.

12

Dolorès savait que quelque chose avait mal tourné. De la fumée sortait par la porte ouverte. Elle monta les marches en vitesse et atteignit la porte-patio. À travers la haute vitre, elle aperçut Noreen qui essayait de repousser les flammes. Elle courut à l'intérieur, retira son coupe-vent en un éclair et se joignit à elle pour combattre le feu, l'étouffer, le piétiner.

« — Va chercher de l'eau ! » hurla-t-elle à l'adolescente terrifiée.

Noreen bondit vers la cuisine, revint avec un seau de plastique qui fuyait, jeta de l'eau sur le feu et retourna en chercher pendant que Dolorès, secouée par une quinte de toux sèche, tentait de freiner la progression des flammes avec son blouson.

Enfin, elles maîtrisèrent le feu : le carton fumant et son contenu, les parties noircies du tapis à longues mèches, les restes fondus et carbonisés de l'album de photos. Toutefois, le fauteuil continuait de flamber. De petites flammes affleurantes mourraient puis, soudain, reprenaient vie. Les ressorts intérieurs étaient probablement chauffés au rouge.

« On va aller jeter cette affaire-là dans le lac, décréta Dolorès. Allons-y ! »

Elles soulevèrent le fauteuil fumant, le sortirent rapidement sous le ciel pluvieux, le lancèrent dans les vagues déferlantes. Puis elles s'écartèrent tandis que de la vapeur s'élevait tout autour.

« Qu'est-ce qui s'est passé ? réussit à articuler Dolorès. Comment ça a commencé ? »

Noreen se laissa tomber par terre, les jambes étendues devant elle comme une poupée de chiffon. « — J'avais froid, dit-elle en faisant la moue. J'ai fait un feu dans le foyer. La fumée voulait pas monter dans la cheminée. »

« — As-tu ouvert le conduit ? »

Noreen tourna vers elle un visage en point d'interrogation.

« — Le conduit ? C'est quoi, ça ? »

Dolorès frotta ses doigts tremblants sur son front et pensa qu'elle avait devant elle une enfant qui allait avoir un enfant, une enfant qui ne savait même pas prendre soin d'elle-même. Elle se remémora l'époque où Mirella, alors âgée de dix-sept ans, avait été enceinte elle aussi. Elle avait eu l'enfant, une petite fille sombre avec de longs doigts de mains et de pieds. Elle l'avait confiée à l'adoption, avait continué sa vie et avait mûri. Mais ce qui avait fait briller Mirella du dedans au dehors, même à travers sa rage et sa rébellion, n'était jamais revenu par la suite. Et le garçon qu'elle avait cru aimer pour la vie avait disparu au pays des amours perdues, était devenu un homme et s'était refait une vie à lui.

« — T'aurais pu incendier le chalet, dit la vieille femme. Le feu est puissant. Il faut le respecter. »

« — Je m'en fous ! lui lança Noreen, en colère. J'aimerais mieux être morte. »

« — En tout cas, t'as fait tout un dégât, riposta Dolorès, soudain furieuse. Et dans le chalet de Delbert qu'il t'a offert de bon cœur, en plus ! Ça fait que lâche-moi avec tes histoires de j'aimerais-mieux-être-morte ! Ça te tente pas de penser à quelqu'un d'autre pour faire changement ? C'est quoi, ton problème ? » Elle s'arrêta net. Elle tremblait. Elle en avait assez dit. Ce n'était pas la bonne façon de s'y prendre avec cette fille.

« — Je fous toujours tout en l'air, renchérit Noreen. Pis je vais tout foutre en l'air pour ce bébé-là aussi. » Elle éclata en larmes.

Dolorès secoua la tête. La journée allait être longue. Dans une heure, l'office débuterait à l'Église Unie de Pembina Lake et il était hors de question qu'elle le manque ; aujourd'hui plus qu'aucun autre jour, elle avait besoin de s'y retrouver. Mais d'abord, elle devait trouver Delbert et lui dire qu'il valait mieux venir jeter un coup d'œil aux dommages. Elle espéra que rien de trop précieux n'ait été perdu dans le feu.

13

Noreen baissa les yeux. Les poils fins qui couvraient ses avant-bras étaient roussis. L'odeur âcre lui rappela que quelque chose d'irréversible s'était produit. Ce n'était pas tant le fauteuil et le tapis – quoique c'était assez terrible comme ça – que les photos brûlées. Particulièrement celle où Del et son frère saluaient de la main le photographe inconnu avec tout ce ciel derrière eux. Lorsqu'elle fermait les yeux, elle pouvait encore voir leurs bras et leurs mains levés en l'air et leurs sourires de jeunes hommes.

Impossible de rejoindre Del et Lynda n'était pas à la maison. Dolorès venait juste de retourner dans la cuisine du Café Molly Thorvaldson pour lui laisser une note. Après quoi, apparemment, elles iraient toutes deux à l'église.

Dans l'attente, Noreen s'assit sur un tabouret, le même sur lequel elle s'était assise lorsqu'elle était arrivée, terrifiée, transie et trempée, deux nuits plus tôt. Elle se revit sur la grand-route, les essuie-glace balayant le pare-brise de droite à gauche, affolée à l'idée d'être perdue, et ce camion blanc qui avait surgi de nulle part et l'avait coupée. Être aveuglée par la gerbe d'eau. Perdre le contrôle. Prendre le champ, traverser un fossé, se retrouver miraculeusement saine et sauve de l'autre côté. Puis tomber sur cette petite ville avec les lumières du café lui faisant signe comme un étrange vaisseau spatial dans la nuit.

Elle enfouit son visage dans ses mains. Elle n'avait voulu de mal à personne et, à présent, voilà ce qui se passait.

Elle se leva, alla à la fenêtre près de la porte, fixa le jour de son regard affligé. La pluie avait cessé. Le soleil était sorti et réchauffait l'air à travers les branches des arbres, évaporant toute l'humidité dans le brillant ciel bleu des Prairies. Elle vit la façon dont la lumière crue frappait la rue déserte. Elle vit le ciel et sa fine ligne de nuages vaporeux et essaya de se projeter dans l'avenir. Aucune image ne lui vint à l'esprit. Il n'y avait aucune image d'une Noreen Stall, immensément enceinte de l'enfant de Wesley Cuthand. Ou d'une Noreen Stall au ventre plat, ailleurs, avec un autre gars. Rien. Ce sentiment de vide la remplit d'effroi.

Là, maintenant, tout de suite, elle voulait se jeter à genoux et implorer *quelqu'un* de lui venir en aide. Sauf peut-être le vieil homme barbu et ennuyeux, assis sur son trône, entouré de nuages. Et si Dieu n'était pas ce vieux barbu, mais une femme ? De quoi aurait-elle l'air ? Noreen tenta de l'imaginer. Elle la visualisa en train d'émerger des herbes. Sa tête apparaîtrait au-dessus d'une colline. Puis elle grandirait. Ses épaules repousseraient la terre autour d'elle. Ses cheveux seraient arbres, fleurs et herbes hautes des Prairies. Ses pieds seraient lacs, rivières et océans. Elle porterait une couronne de ciel ornée du vent, des étoiles, de la lune, du soleil, de la nuit et des planètes. Elle aurait un gros ventre de femme enceinte, si gros que, par mauvais temps, si vous regardiez le ciel, vous seriez à l'intérieur d'elle, à l'intérieur de la Déesse, de Dieu, et les éclairs brillant à travers elle seraient ses veines.

Noreen se tint là, regardant dehors, ne voyant pas la rue, mais Dieu. Il n'y avait personne près d'elle avec qui partager ce moment. Personne pour acquiescer et dire : « Oui, Noreen. Tu as vu Dieu. Tu viens d'avoir une vision qu'on n'a qu'une fois dans sa vie. Si tu t'y abandonnes, elle pourrait te changer pour toujours. » Au lieu de quoi, elle pensa : je ne crois à rien de tout ça. Ce n'est pas en train de m'arriver. Pas à moi.

Elle s'attarda près de la porte, s'apitoyant sur elle-même, en colère, pleine de sentiments horribles dont elle ignorait les noms. Puis elle fixa le plancher, les planches de bois sales qui avaient jadis fait partie d'un arbre, et pensa que la fille à l'intérieur d'elle, la fille qu'elle avait été jadis, était maintenant morte. Et elle n'arrivait pas à imaginer celle qui avait pu prendre sa place.

Quatrième partie

Star

1

Une seule étoile, la première à poindre dans le crépuscule tardif de l'été boréal, brillait au-dessus des vaches laitières de Delbert Armstrong et au-dessus d'une chatte flanquée de ses cinq chatons – dont Del n'avait pas eu le courage de se débarrasser –, qui progressaient à travers les herbes hautes du fossé bordant le chemin menant à la grange. Cette même étoile brillait au-dessus de Wesley Cuthand, à Brandon, alors qu'il tétait sa cinquième bière dans la cour arrière, chez son ami Martin et brillait aussi au-dessus de Del lui-même, encore au travail – il était près de vingt-trois heures en cette chaude soirée de juillet –, qui ramassait des bottes de foin fraîchement fauchées, dans le champ à l'est de sa grange.

Le bois qui allait servir à construire la rallonge du patio était encore emballé dans son plastique et reposait dans la boîte du pick-up. Depuis deux jours. Del n'avait pas encore eu le courage de descendre au chalet. Mais le temps était venu. Il devait prendre une décision. Il avait téléphoné à l'experte en assurances, qui l'avait rappelé, et, à présent, il la fuyait. Le fauteuil n'avait pas de valeur sentimentale. Quant au tapis, Danny l'avait acheté pour trois fois rien – de seconde main, à Brandon –, traîné dans le chalet, jeté sur le plancher, déroulé d'un coup de pied, un sourire en coin, puis avait tendu une bière froide à Del pour célébrer sa trouvaille.

Les photos, elles, étaient irremplaçables. Comment évaluer un souvenir qui vous immortalisait dans le passé, un souvenir si vif qu'il arrêtait le temps et vous coupait le souffle ?

Apparemment, la fille, Noreen – qui s'était réinstallée chez Lynda –, était incapable de lui faire face. Incapable de lui parler. Il connaissait intimement cette honte. Il n'était pas en colère contre elle. Il avait seulement la mort dans l'âme d'avoir perdu… Perdu quoi ? Les images, oui, même si, bien sûr, elles ne ramenaient pas Danny. Pourtant, parfois, lorsqu'il les fixait longuement et intensément, les choses semblaient redevenir comme avant.

Un vent du sud agita les feuilles du peuplier de Virginie, non loin d'où il travaillait. Puis le vent tourna et souffla avec force de l'est. Il charriait la puissante odeur des roseaux du lac, charriait l'odeur des souvenirs. Le matin où Danny s'était noyé, lorsqu'ils l'avaient remonté des profondeurs, quelqu'un avait dit qu'un petit galet d'un blanc pur avait été trouvé dans sa bouche. Del frissonna malgré la chaleur et sa solitude l'accabla davantage.

2

Tessie devait prendre des antibiotiques et être surveillée de près, mais au moins, elle était de retour à la maison. Dieu merci, pensa Dolorès, elle n'avait pas eu besoin de chirurgie. L'os s'était éliminé de lui-même, comme un charme. Et maintenant que ce problème n'en était plus un, tout semblait s'écrouler autour d'elle. Mary ne lui parlait plus, Del avait disparu et ne répondait pas à ses appels, et Lynda s'était retirée encore plus profondément dans son *esprit malade*. Quant à Noreen – plus renfrognée que jamais –, elle habitait de nouveau au café.

Dans l'ancien temps, quand un vieillard parlait, tout le monde l'écoutait, et ce, même s'il s'avérait être un idiot. Eh bien, elle n'était pas idiote ! Au cours de sa vie – trois quarts de siècle ! –, elle avait amassé quelques idées pleines de bon sens. Elle avait convoqué ses amis pour une rencontre concernant Noreen. Ils n'étaient pas tenus de venir, mais ils l'avaient fait, et cela prouvait à quel point ils avaient besoin de se réunir pour en parler.

« — Je propose de passer au vote », dit-elle en les regardant. Ils étaient assis autour de la table, dans la cuisine du café. Noreen se cachait à l'étage, dans le bureau de Lynda, et on n'avait pu la convaincre de se joindre à eux.

Mary, bien entendu, ne comprenait pas pourquoi ils ne la flanquaient pas tout simplement à la porte de la ville. Lynda, imperturbable, tenait Seth sur ses genoux, comme un bouclier. Del était muet et qui pouvait l'en blâmer ? Lynda et lui n'étaient pas sitôt rentrés à la maison avec Tessie qu'on l'avait mis au courant du petit incendie à son chalet.

Ce dont ils avaient besoin, sentit Dolorès, c'était de regarder la situation sous un angle différent. « Bien sûr, quelqu'un pourrait reconduire Noreen à Brandon et la mettre dans l'autobus pour Winnipeg. Affaire réglée. Fin de nos responsabilités. Et je suis certaine qu'on dormirait tous très bien après l'avoir laissé aller, comme ça, après l'avoir abandonnée avec le sentiment que personne n'a assez de compassion pour l'aider à se prendre en mains. » Elle lança ce défi à travers la pièce, et celui-ci ricocha sur Mary, Del et Lynda, dont la tête était maintenant quasi enfouie dans les cheveux de Seth. Del fut le dernier à baisser les yeux.

« À tout le moins, on pourrait la garder ici jusqu'à ce que le Grey Goose passe, vendredi prochain, enchaîna Dolorès. D'ici là, peut-être que quelqu'un pourra lui mettre un peu de plomb dans la tête. Même si moi, personnellement, je voterais pour qu'on la garde plus longtemps. » Elle marqua une pause puis ajouta : « Elle peut rester chez moi. »

« — T'es tombée sur la tête ! explosa Mary. C'est une sauvage et une voleuse ! Souviens-toi que t'es une vieille femme, pour l'amour de Dieu. »

« — Comment faire pour l'oublier quand t'es toujours là pour me le rappeler ? » lui répliqua Dolorès du tac au tac.

« — J'en ai assez. Je m'en vais. » Mary ramassa son chandail, se fraya un chemin à travers eux et partit.

« — Je vais reprendre Noreen avec moi, offrit Lynda d'une voix lasse. C'est moi qui ai ouvert le bal en l'invitant à rester. C'est à moi d'assumer mes responsabilités jusqu'au bout. »

Lynda était ridicule ; elle voulait autant garder Noreen que d'aller se pendre. Dolorès rétorqua : « — M'as-tu écoutée ? T'es pas obligée de tout prendre sur tes épaules, Lynda. Je suis prête à m'essayer avec elle. En fait, c'est ce que je voudrais. J'ai rien d'autre à faire de mes journées. »

Del se pencha et fixa ses mains. Dolorès se souvint du temps où il était à peine plus vieux que Noreen, trois mois après la mort de Danny. Elle se rendait chez elle quand elle l'avait vu, un ado perdu, assis dans le noir, sur un button de terre surplombant le chalet de son frère. À ses pieds, une caisse de bière qu'il vidait lentement mais sûrement, en buveur silencieux et solitaire. Elle aurait dû aller vers lui, mettre son bras autour de ses épaules, lui parler. Mais elle ne l'avait pas fait. Elle avait passé son chemin, comme le font les gens qui se disent qu'ils ne veulent pas se mêler des affaires des autres, mais qui, en fait, ont trop peur de se mouiller et d'apporter leur aide. À dire vrai, elle avait laissé tomber Del. Toute la ville l'avait laissé tomber. Sa mère était morte. Puis son frère. Puis son père, un homme bien, mais qui avait vécu endeuillé jusqu'à ce qu'il meure quinze ans plus tard. Et enfin, Del était redevenu sobre. Il avait réussi à s'en sortir par lui-même. À présent qu'ils avaient accueilli Noreen, Dolorès n'allait pas les laisser la mettre à la porte. Les êtres humains n'étaient pas des objets dont on pouvait disposer. Quelqu'un devait prendre les choses en mains.

Seth se dégagea de l'étreinte de sa mère, courut vers Tessie et s'écrasa à côté de la chienne haletante, étendue sur sa couverture près de la porte.

« — J'aime Noreen, dit Seth tristement. Et Tessie l'aime aussi. » Il fixa la bête dans les yeux. « C'est vrai que tu l'aimes, hein ? » Il lui flatta la tête. Elle battit faiblement de la queue.

Lynda regarda son fils. « — T'aimerais que Noreen reste avec nous ? »

Seth hocha vigoureusement la tête.

« — Alors, c'est réglé. Elle peut rester ici. » Elle tourna son regard vers la vieille femme. « Comme c'est juste pour quelques jours, c'est mieux comme ça. »

« — Bon, bien, je vais y aller », déclara Dolorès en posant ses mains sur ses genoux et en se levant. Elle ramassa sa casquette, la posa à l'envers sur sa tête et ajouta : « Je voulais qu'elle reste avec moi. Plus que quelques jours, peut-être. Mais apparemment, je suis trop vieille pour prendre soin des jeunes fugueuses. Et personne n'a l'air de se soucier que celle-là se dirige tout droit vers un gouffre, à moins que quelqu'un n'intervienne et vite. »

« — Mais on comprend et on s'inquiète, dit Lynda. Je vous en prie, restez, Dolorès. S'il vous plaît. La situation n'est pas simple, c'est tout. »

« — Fais à ta tête, répliqua Dolorès. Je suis fatiguée. Je rentre chez moi. »

Et maintenant, elle était là, au milieu de sa cuisine, buvant à petites gorgées son thé du soir, en regardant le lac s'assombrir. Il n'y avait pas de solution simple au cas Noreen. Alors aussi bien profiter du paysage. Elle adorait la façon dont la nuit tombait en été, si lentement qu'il fallait attendre aux environs de minuit pour que la noirceur soit assez dense et que les lucioles soient visibles, leurs signaux scintillants aussi brefs et éblouissants que la nuit boréale. Elle prit une grande inspiration pour se calmer, se rappelant, comme toujours, que Dieu était vivant, que les miracles pouvaient se produire, que les prières pouvaient être exaucées.

Elle prit le combiné et signala le numéro de Del. Elle tomba sur son répondeur et y parla d'une voix claire.

« Del, peut-être que t'es sorti. Ou que t'es à côté du téléphone et que tu m'écoutes. Je veux te confesser quelque chose qui se rapporte à un soir où t'avais l'âge de Noreen. C'était après la mort de Danny. Je t'ai vu, tout seul. Tu buvais. J'aurais dû aller vers toi. Aujourd'hui, j'ai honte de pas l'avoir fait. Et je suis tellement, tellement désolée. » Elle fit une pause, se ressaisit et poursuivit : « Es-tu descendu au chalet ? Si t'es pas capable d'y aller tout seul, je vais y aller avec toi. Arrête de te cacher et appelle-moi. S'il te plaît. »

3

Noreen descendit la rue déserte jusqu'au lac. Elle se débarrassa de ses chaussures et entra dans l'eau tiède. En regardant les étoiles scintiller dans le vaste ciel des Prairies, elle se souvint des paroles de Wesley : *Tant que tu peux voir les étoiles, Noreen, ou même les imaginer, tu peux te convaincre que t'es pas toute seule.*

Plus tôt dans la journée, quand Lynda avait décidé d'emmener Seth à la plage, Noreen avait été invitée à les suivre. Il faisait chaud et elle s'ennuyait. Elle n'avait pas de maillot de bain et n'avait pas envie d'en emprunter un. Elle avait étendu une chemise ayant appartenu à Wesley sur le sable et s'était assise dessus pour observer la mère et le fils barboter dans les vagues. La chienne s'était avancée dans l'eau, prudemment, l'avait fixée, avait reconsidéré l'idée de se baigner puis avait mollement traîné un bâton sur la rive, où elle s'était recouchée pour le mâchouiller.

Noreen n'avait pas réalisé que le chalet de Del était si proche. En fait, d'où elle était assise, elle pouvait pratiquement voir le salon par la fenêtre avant. Et puis il y avait le fauteuil, un peu plus loin sur la plage, à demi enfoncé dans l'eau, à l'endroit même où Dolorès et elle l'avaient lancé. Elle fouilla dans son sac à dos, en tira ses lunettes de soleil et tenta de disparaître derrière elles. Le feu était difficile à oublier. Quant à la chienne, ça pouvait toujours aller, car depuis qu'ils l'avaient ramenée à la maison, son état s'était progressivement amélioré.

Seth sortit de l'eau – son petit corps blanc couvert de chair de poule –, mit une serviette sur sa tête et s'assit à côté d'elle.

« — T'aimes pas te baigner ? » lui demanda-t-il.

Noreen ignora sa question et s'appuya sur ses mains.

« Mon chien va mieux », dit-il en la fixant sans broncher, d'un regard bleu et froid.

Le petit morveux commençait à l'enquiquiner. Il étira ses jambes dans le sable, fit gigoter ses orteils, ramena son pied gauche vers lui pour l'examiner. « J'avais une écharde, l'autre jour. »

«— C'est l'fun pour toi.»

Il remit son pied sur le sol. «— Promets-moi que tu lui donneras plus d'os de poulet.»

«— Écoute, j'ai pas pensé que ça pourrait la rendre malade, O.K.? C'était pas ma faute. C'était un accident.»

«— Le feu aussi, c'était un accident?»

«— Pourquoi tu fais pas de l'air?»

«— C'est ici que je veux m'asseoir», dit Seth en plissant les yeux sous le soleil.

o

Sous le ciel étoilé, Noreen roula ses shorts plus haut sur ses cuisses et avança dans l'eau. La sensation était agréable. Le chalet de Del était la seule habitation sur la plage. Le seul autre chalet dont elle pouvait apercevoir les chaudes lumières était perdu, isolé au milieu des collines qui bordaient le lac. Il n'y avait personne aux alentours. Elle revint sur la rive, se dévêtit, garda son soutien-gorge et sa petite culotte et retourna dans l'eau, plongeant puis nageant juste sous la surface. L'eau soyeuse glissait sur elle comme un rêve. Elle émergea et prit une longue et lente inspiration. La nausée intermittente qui l'avait accablée le jour durant s'atténua peu à peu. Le lac la berçait tandis qu'elle flottait au gré des vagues. Inspiration profonde. Position fœtale. Couler puis remonter à la surface, son corps comme un arc lent et silencieux. Sortir la tête dans le monde extérieur et reprendre son souffle.

Ensuite de quoi, elle nagea encore plus loin, essayant de retrouver un lien entre sa mère et elle. Après tout, elle avait passé neuf mois complets à nager dans ses eaux. Quelle pensée dégoûtante ! Qui voudrait passer plus de temps que prescrit avec Amazing ?

Quand ses bras furent fatigués, elle se tourna sur le dos et se laissa ballotter sous le firmament scintillant. Dans sa tête, une image apparut – le visage de Gladys –, aussi claire que sa propre réflexion. Gladys à quatorze ans, avec son sourire franc et ses généreuses accolades. Gladys avec ses bras protecteurs autour de Noreen alors qu'elles regardaient la télé, avec son rire qui remontait de très loin dans son ventre. Gladys qui avait sa propre vie. Gladys qui n'avait pas besoin d'être dérangée par sa demi-sœur en cloque.

o

Seth s'éveilla d'un mauvais rêve : Tessie était perdue et ne pouvait plus retrouver son chemin. De vraies larmes, des larmes d'humain, roulaient sur sa face de chienne. Il ouvrit les yeux. Une ombre passa sur le mur de sa chambre : Noreen se faufilait dans le corridor et descendait silencieusement l'escalier. Il tendit l'oreille et l'entendit sortir du café par la vibration discrète de la porte arrière. Pendant que sa mère dormait dans la chambre d'à côté, il enfila ses vêtements et ses souliers comme un grand garçon, après quoi il descendit sur la pointe des pieds jusque dans la cuisine.

Il était si soulagé de voir Tessie ronfler près de la porte – ses pattes arrière remuaient comme si elle poursuivait un lapin virtuel –, qu'il s'agenouilla et lui donna un baiser. Ce qui la réveilla d'un coup sec. Elle se leva, se secoua et se tint là, le regardant de ses yeux endormis. Il était content qu'elle ne soit plus malade. Il ouvrit la porte si doucement qu'il n'aurait pas réveillé une souris. Avant même d'avoir le temps d'y penser, il courait déjà dans la rue qui descendait au lac, Tessie sur ses talons.

Lorsqu'ils arrivèrent à la plage, Noreen n'était nulle part en vue. Un lampadaire près du quai éclairait légèrement l'eau aux alentours. Au-delà de ce halo, il ne voyait rien. Près du quai, il y avait une pile de vêtements – un pantalon roulé, un t-shirt, des sandales –, qu'il reconnut comme étant ceux de Noreen.

Elle était allée nager. Elle n'aurait pas dû. On devait toujours nager avec un ami. Il ôta ses souliers et se tint au bord de l'eau, mais il ne voyait toujours rien. Tessie se mit à aboyer.

« Reste ici, fille ! » lui ordonna-t-il alors que les vaguelettes lui léchaient les pieds.

Il entendit un camion descendre la route et, se tournant, le vit arriver sur la plage et diriger ses phares sur lui et Tessie. Il tomba, se releva avec difficulté – son jean mouillé d'un bord à l'autre – et soudain, Del était là, le prenait dans ses bras. Il était si surpris qu'il se mit à pleurer.

« — Qu'est-ce que tu fais ici ? lui cria Del au visage. Où est ta mère ? »

« — Noreen ! » Seth pleura de plus belle et pointa un doigt en direction de l'eau.

« — Noreen ? Là-bas, dans le lac ? »

Seth commença à sangloter. « — Je l'ai suivie... C'est tout... Del... »

Del le tint serré contre lui et se mit à appeler Noreen, à crier son nom. Bientôt, Seth l'imita, perché dans les bras de l'homme.

« — Je sais pas nager », dit finalement Del.

Seth se frotta les yeux. « — Moi non plus. »

En fixant le lac sombre, Seth eut la plus effrayante des sensations, que vous pouviez y être perdu pour toujours sans que personne ne sache où vous trouver.

« — Ah mon Dieu, elle est là ! » s'écria soudain Del.

Seth la vit se déplacer lentement, tel un fantôme dans la nuit sans lune. Seules les étoiles lui montraient le chemin.

4

Noreen les suivit sur la rive, où elle ramassa ses vêtements. Seth la regarda se rhabiller. Del baissa la tête et s'éloigna. Lorsqu'elle s'assit sur la plage, toute frissonnante, il était de retour avec un blouson pour Seth et une vieille couverture pour elle, un plaid[6] lourd et piquant qu'il avait récupéré à l'arrière de son camion et qui empestait le mazout.

« — T'aurais pu mettre en danger la sécurité du petit ! dit Del en colère. »

Sous le choc, Noreen les regarda tous deux. « — Je savais pas qu'il était ici. Je suis désolée. » C'est vrai, elle l'ignorait, elle était désolée. Comment pouvait-il en douter ?

« — T'es sûre de ça ? »

---

6. Grosse couverture de voyage en lainage à carreaux.

« — Oui ! Pour l'amour du ciel, je suis pas un monstre ! Même si c'est ce que tout le monde dans ce trou à rats a l'air de penser. »

« — Hé ! Surveille ton langage », la sermonna Del, qui se détendit tout de même un peu. Il vint s'asseoir près d'elle, Seth bien calé entre eux. La chienne les rejoignit, s'assit sur les pieds de la fille et ne grouilla pas d'un poil, même quand Noreen essaya de la repousser.

« — J'ai nagé trop loin », expliqua-t-elle, leur disant ce qu'ils voulaient entendre.

« — Pourquoi t'as fait ça, Noreen ? » demanda Seth.

Elle ne répondit pas. Elle sentait chaque frisson secouer le petit corps maigre du garçonnet. Tessie se leva, s'éloigna d'un mètre ou deux, se laissa choir sur le sable.

Del regarda l'eau, sortit une cigarette de sa poche de chemise et gratta une allumette de bois. Il alluma sa cigarette, inhala profondément et dit : « — J'ai perdu un frère. À environ un demi-mille du bord. De cette plage-ci. »

Seth leva les yeux vers lui. « — Tu devrais pas fumer, Del. »

Noreen releva la tête, qu'elle avait posée sur ses genoux. « — T'as perdu un frère ? » Elle se demanda si c'était le gars de la photo. Celui qui était sur le toit avec Del.

L'homme inhala de nouveau la fumée, fit tomber la cendre sur son soulier trempé et la lissa avec son pouce. « — Il s'est noyé. »

« — Ton frère s'est noyé ? dit Seth. Est-ce qu'il est mort ? »

« — Bien sûr qu'il est mort », lança Noreen d'un ton brusque.

« — Oh ! T'es triste, Del ? »

Del ne dit rien et fixa le lac. Après un moment, il ajouta : « — Plus tard, moi et Vera, sa fiancée... on est venus ici. C'est juste là, là-bas, tu vois ? » Il désignait un lieu invisible. « C'est là qu'ils avaient jeté l'ancre. Danny et elle. Avec le bateau du père de Vera. Trente-cinq ans la semaine prochaine. » Il hocha la tête. Garda le silence.

La lourde couverture donna la nausée à Noreen ; elle avait l'odeur en horreur. Mais elle ne bougea pas. Elle attendit que Del poursuive. Bizarrement, affreusement, cette attente lui rappelait les moments où Wesley racontait leur histoire d'amour – lentement, ce qui faisait que les silences entre les mots étaient aussi importants que les mots eux-mêmes –, comme s'il essayait de comprendre quelque chose et voulait qu'elle le comprenne aussi.

Del écrasa sa cigarette sous son soulier. Il mit le mégot dans sa poche de chemise et se tourna vers elle. « Vera m'a dit qu'il a plongé et n'est jamais remonté. Ses derniers mots ont été : “Dis à mon enfant de chienne de frère que je veux plus jamais lui voir la face.” Excuse mon langage, Seth. »

Seth s’appuya sur Noreen, qui serra davantage la couverture autour d’elle. Baissant la tête, elle secoua l’eau qui dégouttait encore de ses cheveux et, éberluée, regarda Del.

« — Ton frère a vraiment dit ça ? »

« — J’imagine qu’il avait découvert ce qu’il aurait pas dû découvrir. » Il fixa le lac droit devant lui, son profil étrangement éclairé par la lumière du lampadaire sous lequel ils étaient assis ; bombyx blancs et mouches noires se heurtaient contre son globe, s’éloignaient puis disparaissaient. « On se tenait la main en secret, vois-tu, sa Vera et moi », poursuivit-il doucement.

« — Vous vous teniez la main ? » Noreen absorba ses paroles, son délicat choix de mots dans lesquels résonnait la trahison. « Oh », dit-elle. Puis, de nouveau : « Oh. »

Del émit un son étranglé. Un sanglot, peut-être ? Elle détourna rapidement le regard. Un coup de vent provoqua un tourbillon de sable. Il traversa l’air nocturne, puis lui souffla au visage, piquant ses yeux, emplissant sa bouche. Elle cracha des grains de sable, se débarrassa de la couverture suffocante. C’était une histoire terrible. Qu’il l’ait partagée avec elle la rendait plus terrible encore. Elle ne savait qu’en faire.

« — Excuse-moi pour ton chalet, lâcha-t-elle enfin. Mais c'était pas ma faute. Je voulais pas que tes photos brûlent. C'est juste arrivé. Je veux dire, j'ai allumé un feu dans le foyer et les choses ont mal tourné. » Elle fit une pause, essuya ses yeux et poursuivit d'une voix tremblante. « C'est l'histoire de ma vie, Del. Je peux jamais rien faire de bien. »

« — Pour un gars de ferme, un chalet d'été au bord du lac, c'est un rêve fou, dit Del, comme s'il ne l'avait pas entendue ou comme s'il s'en foutait. Mais c'était le rêve de Danny. Pas le mien. Même si on pourrait dire le contraire… » Sa voix s'estompa.

Noreen enfonça ses orteils dans le sable mouillé. Aucun adulte ne lui avait jamais parlé comme ça, la voix brisée, pleine de culpabilité.

« — J'ai froid, dit Seth. Est-ce que je peux rentrer à la maison ? »

« — Bien sûr que oui. » Del se moucha. « Et on va aller te reconduire pas plus tard que tout de suite. »

Mais il demeura assis, comme s'il ne pouvait pas encore bouger, et Noreen en fit autant. Le malaise provoqué par ce qu'elle avait fait à Del – cette dernière photo de son frère et lui dans des temps plus heureux devait signifier beaucoup pour lui – l'envahissait de nouveau, et ce trouble ne s'en irait pas.

« — Est-ce qu'on s'en va ? » demanda Seth.

« — Ouais », répondit Del sans bouger.

Noreen attendit aussi que quelque chose se passe.

Del inspira profondément et lança d'un ton las : « — Alors. Qu'est-ce que tu faisais aussi loin dans le lac ? »

« — Je pensais. »

« — Tu pensais ? »

Elle tentait le sort. Voulait seulement... quelque chose.

« — Tout le monde s'en fout », marmonna-t-elle, l'air pitoyable.

« — Je vois. » Del regarda ses pieds. Plissa les yeux en direction de l'eau. « On va devoir remplacer le tapis. Et le fauteuil. »

« — J'ai de l'argent, dit-elle rapidement. Je te le donne. Au complet. »

« — Je veux pas de ton argent. » Hochant lentement la tête, il ajouta : « Mais tu peux faire quelque chose. Pour Lynda. » Il ramassa la couverture et se leva. Seth et Tessie se dirigèrent aussitôt vers le camion. Noreen demeura dans le sable, dans l'attente de la suite.

Del se tint au-dessus d'elle. « J'ai un proverbe pour toi. Un proverbe espagnol. Ça dit quelque chose comme : *Prends ce que tu veux. Et paie pour.* Des larmes froides brillèrent dans ses yeux. « Fameux, non ? »

5

Del n'était pas encore retourné au chalet. Il en avait eu l'intention. Mais était survenu l'incident avec Noreen et Seth. Il les avait reconduits tous deux au café, puis avait eu une petite conversation avec l'adolescente. Deux à trois semaines de travail au café, avait-t-il évalué, ce n'était pas trop demander. À condition qu'elle ne révèle pas d'où provenait l'idée et qu'elle prenne note de ses heures, peu lui importait comment elle se chargeait du reste avec Lynda. C'était à elle d'y voir.

Après avoir quitté le café, il se rendit sur la colline aux lys et resta assis dans son camion dans la nuit silencieuse – même les grenouilles et les criquets étaient partis se coucher –, avec le vent pour unique compagnie. La vie qu'il menait était si solitaire. Et l'était depuis si longtemps. L'incendie ne faisait que souligner son isolement. Qu'avait-il accompli durant toutes ces années où il avait tenté de se remettre sur le droit chemin ?

Il repensa à Vera, à son parfum. Et à son rire. À la sensation singulière de savoir que ce qu'ils faisaient était mal. Et puis au choc de voir son grand frère assis près de la grange, après avoir découvert leur liaison. Affaissé, la sueur luisant sur ses bras forts, les yeux fixés sur ses mains, puis levés vers Del ; l'inquiétude de ne pas savoir ce qu'il ferait ensuite.

Danny avait disparu ce jour-là. Il était allé trouver Vera. Pour la confronter. Mais quand il l'avait emmenée avec lui sur le lac, elle ignorait tout de la situation jusqu'à ce qu'il entre dans une rage intense et lui laisse le message avant de plonger du bateau.

Del retourna lentement à la ferme. Il sortit de son pick-up, entra dans la maison et alluma toutes les lumières. Il était trois heures du matin. Il ne désirait qu'une chose : boire. Il se laissa choir à côté du téléphone et écouta ses messages. Le premier était de l'experte en assurances ; elle était persévérante, c'était le moins qu'on puisse dire. Le second provenait de Dolorès ; sa voix aussi douce qu'une berceuse lui disait à quel point elle était désolée de n'avoir rien fait lorsqu'elle était tombée sur lui, par hasard, juste après la mort de Danny, alors qu'il buvait ses dix-sept ans, seul, non loin du lac. Il ne se souvenait pas de cette nuit-là. Il y en avait tant eu de semblables ! Il effaça le premier message. Fit rejouer celui de Dolorès. Une fois, deux fois, trois fois, quatre fois, cinq fois. Chaque fois, il en retirait un peu plus de force. Et encore un peu plus. Ce message ne régla rien, mais l'envie de boire lui passa.

6

Mardi matin, Noreen se leva, s'habilla, mangea une toast, but un jus d'orange, combattit une vague de nausée et perdit la bataille. Après quoi, elle se lava le visage dans l'étroite salle de bain, tapissée d'horribles canards barbotant et revint dans la cuisine. Elle voulut remonter à l'étage, se réfugier dans le lit de camp et oublier toute cette histoire de travail. La nuit dernière, dans le pick-up, elle en avait fait la promesse à Del, Seth à moitié endormi pour unique témoin. Peut-être n'avait-elle pas vraiment à faire tout ça.

Lynda dormait profondément lorsqu'ils étaient rentrés – une bûche –, et ses ronflements sonnaient comme de petits grincements. Noreen l'observait maintenant servir du café à un homme au fond de culotte pendant.

À la table de la cuisine, d'un geste las, Seth remuait ses céréales, qui flottaient dans une mer de lait, dans un bol de plastique rose. Noreen ressentit un brin de sympathie pour lui. De courte durée, toutefois. Aussitôt qu'il vit qu'elle était revenue de vomir, il se mit à parler de sa petite voix agaçante, lourde de sens. « — T'as dit que t'allais parler à ma mère. »

« — Fiche-moi la paix, O.K.? Je viens juste de renvoyer mon déjeuner. »

« — Quand est-ce que tu vas lui parler ? »

« — Dans le temps comme dans le temps. »

« — Je te crois pas. » Il souleva sa cuiller et laissa dégoutter le lait dans le bol.

Noreen croisa ses bras sur sa poitrine et répliqua : « — Je m'en fous. Totalement. Je me fous de tout. »

Seth descendit de sa chaise. Il se traîna les pieds jusqu'à la porte qui menait au café et se tint là, tête basse, en lui tournant le dos. « — Je vais lui dire moi-même. »

« — Ah ! Pour l'amour du saint ciel ! Va t'asseoir et finis tes céréales ! »

Elle alla trouver Lynda. Quelque chose avait été renversé et l'éclaboussure avait séché sur le plancher du café. Ses sandales s'y collèrent. Elle resta là, comme une mouche prise au piège, en observant Lynda préparer du café et en se demandant comment elle aborderait la question. Enfin, elle marmonna : « — Je veux travailler pour toi. »

« — Quoi ? » Les boucles drues de Lynda, trempées de sueur ou encore humides de la douche matinale, collaient à sa peau de chaque côté de son visage.

Noreen répéta plus fort et plus lentement. « — J'ai dit : je veux travailler pour toi. »

« — Bonne chance », marmotta Lynda en se dirigeant vers la cuisine.

Noreen la suivit, gênée par ce qu'elle était en train de faire. Quémander, quelle merde ! « — Hé ! finit-elle par dire. Je suis sérieuse. »

« — Moi aussi. » Lynda plongea un balai-éponge dans un seau d'eau savonneuse, s'appuya sur le manche et fixa Noreen de ses yeux rougis. « Personne ne gagne sa vie dans cette ville. C'est plein de vieux sans le sou. Et les quelques jeunes qui en ont dépensent leurs chèques de paye à Willow Point. J'ai de la misère à me verser un salaire, Noreen. Qu'est-ce qui te fait croire que je pourrais t'engager ? »

« — T'es pas obligée de me payer. » En disant cela, elle eut envie de courir dehors, d'arrêter une voiture et de s'enfuir.

« — Et en quel honneur ? rétorqua Lynda avec incrédulité. Toi et moi, on sait très bien que je peux pas te faire travailler pour rien. »

« — O.K., j'ai pas besoin d'argent pour un petit bout de temps, poursuivit Noreen, dont la voix tremblait. Wesley m'en a donné avant de repartir. Je fais ce que je veux avec. Il m'a dit de le garder. »

« — Tu m'en diras tant ! » Lynda expira en gonflant les joues. « Comme c'est charitable ! Mais c'est quoi, le rapport ? »

« — Et toi, c'est quoi, ton problème ? répliqua Noreen qui sentait la moutarde lui monter au nez. J'ai besoin d'une place pas chère pour poser mes fesses quelque temps. Et toi, t'as besoin d'une serveuse. On peut s'entendre là-dessus, oui ou merde ? »

La nuit dernière, Del lui avait dit : « Prends tes heures en note. Tout ce que tu gagnes, à six dollars l'heure, servira à me rembourser. Compris ? » Il devait être bandé sur Lynda. Sinon, pourquoi lui aurait-il demandé une chose aussi étrange ?

Lynda soupira. « — Écoute, je suis désolée pour toi, Noreen. C'est vrai. Quand j'étais prof, chaque fois que je levais la tête de mon bureau, je voyais bien que mes étudiants avaient besoin de bien plus que ce que je pouvais leur offrir... » Sa voix s'estompa.

« — Prof ? T'étais prof ? » Elle n'en avait vraiment pas l'air. « Qu'est-ce qui t'est arrivé ? »

Lynda rougit. Pas d'une rougeur qui traduisait un léger embarras. Plutôt d'une rougeur provoquée par l'intensité de la honte et de la peur qui drainaient sa vie. Pour la seconde fois ce matin, Noreen ressentit de la sympathie pour quelqu'un.

Finalement, la femme leva les yeux, qui rencontrèrent ceux de l'adolescente, et dit d'une voix égale : « — Un coup de main me ferait pas de tort. Il faut que je change ma façon de faire, ici. »

Noreen se sentit malade une fois de plus, et pas seulement de la nausée du matin. Sa vie n'était rien, et ce bébé que Wesley et elle avaient fait sans le savoir ou sans s'en soucier n'était rien lui non plus. Et même si elle tournait le dos à tout ce bordel, même si elle passait la porte en courant, elle n'avait nulle part où aller.

Lynda commença une phrase, s'arrêta, secoua la tête, prit le temps d'une petite discussion avec elle-même. « O.K., écoute-moi bien. Je sais pas combien de temps tu comptes rester. Quelques jours, c'est une chose, mais... » Elle regarda Seth, qui se tenait maintenant sans broncher à côté d'elles. « Tu veux aller jouer dehors, mon chou ? »

« — Non », répondit Seth.

« — Vas-y quand même. On parle entre grandes personnes. Et amène Tessie avec toi. Il faut que tu l'aides à reprendre des forces, O.K. ? »

Seth sourit de toutes ses dents à sa mère et courut chercher Tessie.

Quand il fut parti, Lynda poursuivit d'une voix basse : « J'ai de la misère avec l'ordinaire. Des fois, j'arrive à peine à acheter la nourriture pour le café. Comprends-tu ça ? »

Noreen fixa le sol. Hocha la tête.

« Surprends-toi pas si je te demande un peu d'argent pour les frais – pas beaucoup –, mais qu'est-ce que tu penses de quatre-vingts dollars ? Ça couvrirait ta nourriture pour, disons, le mois. D'ici là, t'auras peut-être une meilleure idée de ce que tu veux faire de ta vie. Honnêtement, Noreen, je peux pas faire autrement. J'ai une grosse facture de vétérinaire à régler et je suis déjà dans les dettes jusqu'aux yeux. C'est sans fin. »

Noreen monta aussitôt à l'étage, sortit son sac à dos de sous le lit, y plongea la main, trouva un stylo, une montre Mickey Mouse et son cahier de notes datant de l'école secondaire, qui n'avait jamais servi. Elle l'ouvrit à la première page. Consulta sa montre. Nota : *DETTE À DELBERT. Jour 1. Je viens de passer une demi-heure à essayer de convaincre Lynda de me laisser travailler pour elle GRATUITEMENT !!! Et là, elle veut que je lui donne de l'argent pour ma bouffe et dit que je lui dois QUATRE-VINGTS DOLLARS !!*

Elle ferma le cahier. Le remit dans son sac à dos. Compta près de la moitié de l'argent de Wesley, qui était devenu le sien et s'apprêtait à devenir celui de Lynda. Elle était si furieuse qu'elle avait de la difficulté à penser. La journée s'annonçait très mal.

7

D'abord, le plancher du café devait être décrassé. Plus tard, Lynda mit quatre tartes aux petits fruits congelées au four. L'une d'elles explosa. Une bave noirâtre et sirupeuse gicla tout autour, causant de minuscules incendies, et le four dut être entièrement récuré. Après quoi le lave-vaisselle tomba en panne et vaisselle, coutellerie et chaudrons durent être lavés à la main dans de l'eau très chaude avec savon et eau de javel. Puis, Seth arriva dans la cuisine en pleurant ; il était sorti dans la rue et s'était bataillé avec deux garçons plus vieux.

« — Ils ont pris ma casquette des Blue Bombers[7] ! sanglotait-il. Celle que tante Dolorès m'a donnée. »

---

7. N.D.T. Équipe de football établie à Winnipeg et évoluant dans la Ligue canadienne de football (LCF).

Noreen n'attendit pas que Lynda s'en mêle. Elle sortit et dit aux garçons de la lui rendre. Le plus grand des deux, qui avait l'air d'avoir onze ans, lui balança : « — T'es rien qu'une grosse vache. »

« — Peut-être, répliqua-t-elle, mais je vais te botter le cul. »

« — Ah oui ? T'as l'air tellement forte que j'ai peur. » Il avait dit ça en regardant ses seins.

Noreen roula des yeux. Elle agrippa calmement le garnement par le bras, le lui tourna et le coinça dans son dos jusqu'à ce qu'il lui rende la casquette. Après quoi, elle leur dit de foutre le camp.

Tandis que Seth et elle retournaient à l'intérieur, celui-ci saisit sa casquette et dit : « — T'es forte. »

« — Tiens-toi loin des petits trous de cul de ce genre-là », l'avertit Noreen.

« — Dis pas de gros mots », rétorqua Seth dans un froncement de sourcils.

Elle posa sa main derrière sa petite tête. Ses cheveux étaient étonnamment doux. Une boule lui monta dans la gorge. Le garçonnet leva la tête vers elle ; ses yeux étaient si clairs ! Les enfants avaient-ils tous les yeux aussi clairs ? Et si oui, quand commençaient-ils à se troubler ?

« Je m'ennuie, Noreen, je m'ennuie », murmura-il sur un ton tragique.

Dans trente secondes, il allait se remettre à pleurer. « — O.K., O.K., O.K. Tu vois les ustensiles près de l'évier ? Essuie-les. Et prends ton temps et tiens-toi tranquille, lui ordonna-t-elle. »

Rayonnant, Seth courut chercher un linge à vaisselle. « — Je peux les ranger, après ? »

« — Ben oui ! Dieu du ciel ! »

Quelques minutes plus tard, elle passa de la cuisine au café. Les garçons qui avaient malmené Seth commandaient des hamburgers à Lynda.

« — Je m'en occupe, dit Noreen en la prenant à part. J'ai déjà travaillé dans un casse-croûte. »

C'était l'heure du lunch et Lynda était déjà fort occupée à faire des sandwiches pour un groupe de dames qui voulaient aller pique-niquer au bord du lac et observer les pélicans.

Pendant que Lynda regardait ailleurs, Noreen tourna les galettes de bœuf bien cuites, cracha dessus avec lenteur et précision, les plaça entre les pains et les apporta aux garçons, qui souriaient d'un air idiot. « Passez une excellente journée », dit-elle en leur rendant leur sourire.

Le soir venu, Noreen se sentit plus fatiguée qu'elle ne l'avait jamais été de sa vie. Elle n'arrivait pas à croire qu'elle avait servi autant de clients et qu'il y avait si peu d'argent dans la caisse. À dire vrai, personne ne consommait grand-chose. Pas surprenant que Lynda soit toujours cassée ! Et pour le pourboire, oubliez ça ! Un grand total de 4,71$. Après avoir pris un café et un morceau de tarte, des vieux aux mains tremblantes se levaient et laissaient une pièce de dix sous ou deux pièces de cinq sous et quelques sous noirs à côté de leur assiette collante.

Del débarqua juste avant la fermeture, ôta son chapeau et commanda un café. Elle lui en glissa une tasse sur le comptoir. Il but son contenu brûlant à petites gorgées, la reposa délicatement et commanda un hamburger. Elle aurait souhaité lui en vouloir de l'obliger à rester, mais tout ce qu'elle voyait en le regardant, c'était son frère noyé, trempé et silencieux, qu'il transportait sur son dos.

Elle alla à la cuisine et lui prépara son hamburger avec soin – mettant quelques fines rondelles d'oignon, un peu de raifort, de la moutarde, du ketchup, de la mayonnaise, du cheddar fumé, une grosse tranche de tomate et plus de cornichons à l'aneth qu'à l'ordinaire – avant d'y planter un cure-dent pour empêcher le tout de se défaire. Puis elle le lui apporta et le regarda prendre une bouchée. Ses yeux s'allumèrent.

Ce fut tout. Rien de plus. Pas même un merci. Après qu'il eut payé et fut parti, elle regarda sous son assiette. Rien là-dessous, non plus.

Dépitée, elle retourna à la cuisine. Lynda la regarda un instant, les lèvres serrées, puis lui demanda : « — T'as faim ? » Pour la première fois depuis plusieurs jours, Noreen répondit que oui. Lynda lui tendit une pomme entre ses doigts rousselés. « Quand j'étais enceinte de Seth, c'est à peu près tout ce que je pouvais manger pendant les trois premiers mois. »

Noreen prit la pomme, arracha l'étiquette Royal Gala Nouvelle-Zélande et y mordit. Elle se laissa tomber sur une chaise. « — As-tu été mariée au père de Seth ? »

Lynda détourna le regard. « — Son père est plus dans le décor. Et élever un enfant toute seule est plus dur que tu peux l'imaginer. »

« — Qu'est-ce qui s'est passé ? Il t'a sacré une volée ? » Noreen prit une seconde bouchée de pomme, mastiqua lentement.

Lynda s'approcha, se pencha par-dessus la table et dit, la voix pleine de ressentiment : « — Tu veux manger autre chose ? »

« — Hou ! Excuuuuse-moi. On a affaire à un vrai prince charmant à ce que je vois. »

« — Mon ex-mari n'est pas un sujet de conversation. »

« — Très bien. » Noreen roula la pomme autour de la table. Lynda la fixait, le regard chargé de colère. «Regarde-moi pas comme si je venais de tuer ton flot. J'essaie juste de comprendre c'est quoi ton problème.»

Lynda hocha la tête. «— Ça fait que… Ça fait que…» Elle hocha la tête plusieurs fois encore, comme si elle n'en revenait tout simplement pas. Enragée, elle alluma le poêle et se mit en frais de faire le souper. Elle sortit un chaudron, le remplit d'eau, y jeta une boîte de macaroni et posa brusquement le couvercle. «J'espère que t'aimes le macaroni au fromage», marmonna-t-elle.

«— J'adore», répondit Noreen.

Lynda se tourna de nouveau vers elle. «— Ça fait que…» C'était, semble-t-il, ses trois mots préférés. «Penses-tu garder le bébé que t'as dans le ventre?»

Des chatouillements d'humiliation se firent sentir à l'endroit même où le fœtus flottait. «— Aucune idée. J'attends de voir ce qui va se passer.»

«— Le bébé attendra pas, lui», dit Lynda.

«— Peut-être, mais ça te regarde pas.» Noreen se leva et quitta rapidement la table.

o

Del.

De 10 heures DU MATIN à 9 h 45 DU SOIR. – Elle aurait dû s'arrêter, mais elle avait besoin de se défouler. Son stylo fouettait la page. – *Est-ce que je compte le temps que je passe à NE PAS dire à ma soi-disant boss d'aller se faire foutre ? Je ne serai JAMAIS comme elle. Et, en passant, merci pour le généreux pourboire. C'était la cerise sur le sundae de ma super journée. Terminé. Noreen.*

8

Le mercredi matin, Dolorès sauta en bas du lit à cinq heures. Les oiseaux s'éveillaient à peine. Elle descendit au lac cueillir de la menthe sauvage avant que le soleil n'évapore la rosée qui s'y était déposée. Elle aimait réfléchir au lever du jour. À ce moment de la journée, les ancêtres étaient si près qu'elle pouvait leur parler. Étrange que sa propre fille soit maintenant l'une d'eux. Et voilà qu'apparaissait le soleil – pointant ses rayons au-dessus des collines, de l'autre côté du lac –, une pêche embrasée enveloppée de nuages lavande. Quel spectacle ! En route vers le lac, elle remarqua les amélanchiers de Saskatoon couverts de baies. Les petits fruits avaient pris du volume. Elle pourrait bientôt faire des tartes. Elle rit tout bas. Elle avait fait tant de tartes aux petites poires[8] dans sa vie qu'en les alignant toutes, elles s'étendraient d'ici à Brandon.

o

Del s'acquitta de ses corvées matinales. Après quoi, il monta dans son pick-up et se rendit au chalet. Aujourd'hui, il se sentait assez fort pour y voir. Il appréciait la gentillesse de Dolorès, son offre de l'accompagner laissée sur son répondeur, mais c'était une affaire privée.

Quand il pénétra à l'intérieur, il sentit l'odeur de brûlé, et puis, bien sûr, le salon ne se ressemblait plus. Le fauteuil n'était plus là. Des bouts de tapis étaient noircis. Il y avait des morceaux trempés de photos déchirées et du papier partout. La plupart des albums étaient à peine reconnaissables tant ils étaient brûlés. Il feuilleta les pages du seul qui avait survécu. S'y trouvaient les photos de famille les plus anciennes, lorsqu'il était bébé. Le certificat de naissance de Danny : Daniel Carruthers Armstrong. La photo de noces de ses parents. Pas grand-chose d'autre. Il était étonné de voir qu'il lui restait si peu de souvenirs.

Près du foyer, il découvrit un autre album – difficile d'identifier lequel c'était –, si abîmé

8. N.D.T. Les baies de l'amélanchier sont aussi appelées petites poires.

par le feu que seule subsistait la couverture de plastique, ratatinée par la chaleur et fondue dans les fibres du tapis. Il ressentit le besoin pressant de s'en aller, d'être n'importe où sauf là.

Il sortit sur le patio, puis descendit au lac. Le vieux fauteuil de Danny avait l'air d'une créature rejetée par les vagues, des tiges de roseaux prisonnières de sa carcasse. Il ôta ses bottes et ses chaussettes, roula ses bas de pantalon, puis s'avança dans l'eau et le tira sur la plage. Il s'assit à côté. Regarda le lac. Glissa sa main dans le sable. Ses doigts rencontrèrent une pierre froide. Il la ramassa, la fixa. Elle était blanche, comme un lys. Pure comme la mort. Il la mit dans sa bouche, la sentit sur sa langue, la recracha, puis se mit à pleurer.

9

Noreen se réveilla ce matin-là avec une douleur intense qui se manifestait par intermittence, puis se dissipait. Dans la salle de bain, elle découvrit des taches dans sa petite culotte. Elle eut si peur qu'elle appela Lynda.

« — Où est-ce que t'as mal ? » Le visage de Lynda se fronça, alarmé.

« — À gauche, en bas. » Noreen était agitée de tremblements incontrôlables.

Une demi-heure plus tard, après que Dolorès eut été appelée pour s'occuper de Seth et du café, elles étaient en route pour Willow Point, où Lynda avait réussi à obtenir un rendez-vous d'urgence avec son médecin.

« — Je pensais pas que ça pouvait mal tourner », dit Noreen. Puis elle fit silence.

« — Tu vas forcément avoir des élancements auxquels t'es pas habituée. » Lynda tendit la main et étreignit délicatement celle de Noreen, qui reçut le choc de sa peau contre la sienne. « Écoute, poursuivit Lynda, oublie ce que je t'ai dit hier. J'étais de mauvaise humeur. C'est pas ta faute si ma vie est en train de s'écrouler. »

« — J'ai eu beaucoup de chums. Mais j'ai jamais été enceinte. Jamais. » Elle tira sur ses manches et y cacha ses mains. « Ma demi-sœur Gladys a pris soin de moi et puis après, j'ai pris soin de moi-même. Je suis pas bête. Je suis pas une ratée minable que tu dois prendre en pitié. Ça fait que pourquoi toi, t'oublies pas ça ? »

Lynda fronça les sourcils. « — Elle était où, ta mère ? »

« — Soûle ou au travail », lança Noreen. Sa réponse avait fait son effet. Lynda avait compris. Quelqu'un avait enfin compris.

Elles entrèrent dans Willow Point. Reprise de panique, l'adolescente demanda : « Vas-tu venir avec moi dans le bureau du médecin ? »

« — Pour l'examen ? »

« — Ouais. »

« — T'as jamais eu d'examen gynécologique ? »

Elle se demandait si ça faisait mal, mais elle n'arrivait pas à articuler la question.

« — Non. Jamais. »

Elles pénétrèrent dans la clinique. On remit à Noreen des formulaires à remplir, qui posaient des questions embarrassantes. L'examen gynécologique fut humiliant et douloureux. Mais après coup, le médecin lui dit qu'elle était enceinte d'environ sept semaines et que tout semblait bien aller pour le fœtus. Elle devait toutefois passer un ultrason immédiatement, de l'autre côté de la rue, à l'hôpital. C'étaient sans doute ses ovaires qui causaient la douleur.

L'échographie était la chose la plus renversante qui soit. Non seulement tout allait bien, mais, à l'écran, un minuscule spot blanc scintillait. Ce clignotement provenait du fœtus blotti en dedans d'elle comme une petite arachide.

« — C'est son cœur qui bat ? Oh mon Dieu ! » Elle leva la tête vers le technicien, qui souriait, et vers Lynda, dont les yeux s'étaient embués.

« — Il est beau et fort, lui dit l'homme. Ta grossesse est sur la bonne voie. »

Quelques crampes et des pertes légères étaient considérées comme normales, pour autant qu'elles n'aillent pas en augmentant. Elle devrait revoir le médecin dans un mois. Et son assurance-maladie du Manitoba couvrait tout. Voilà. En attendant, elle était trop maigre, faisait de l'anémie, devait commencer à s'alimenter correctement et prendre des suppléments de fer. Elles s'arrêtèrent donc à la pharmacie avant de repartir vers Pembina Lake.

Pendant tout le trajet, Noreen se tint le ventre. Elle était stupéfaite. Le bébé était bel et bien là ; non pas qu'elle avait douté de sa présence, mais là, elle l'avait vu. Et ce qui était le plus incroyable, c'était son petit cœur, scintillant comme une étoile dans l'univers de son ventre. Elle se sentit étonnamment fière. Et apeurée. Elle commença à se demander si elle ne devait pas téléphoner à Wesley. Elle avait eu confirmation. Il était impossible que ce bébé soit d'un autre. Il devait le savoir. Peut-être devait-elle aussi téléphoner à Gladys.

o

En fin de compte, elle n'appela personne. Que dirait-elle après les avoir informés ?

Dolorès demeura au café jusqu'au soir. Avant de partir, elle mit sa casquette, serra son vieux sac noir sous son bras et dit à Noreen : « À partir de maintenant, tu te tiens tranquille. Et tu te couches tôt. Et tiens... » Elle ôta le couvercle d'un petit contenant de plastique, qu'elle lui tendit. « Renifle un bon coup. »

Un fort parfum de menthe s'éleva d'un bouquet de feuilles humides, posé sur des serviettes de papier.

« Médecine douce. Je l'ai cueillie ce matin. C'est de la menthe sauvage. Elle pousse sur le bord du lac. Fais-en une tisane et bois-la lentement. C'est bon pour les affaires de femmes. Et jette pas les feuilles à la poubelle après usage, ajouta-t-elle avant de marquer une pause et de déplacer son poids sur son autre jambe. Enterre-les au pied d'un arbre. Laisse la terre les reprendre. » En souriant, elle caressa le visage étonné de Noreen, puis sortit par la porte de derrière en sifflant une chanson sans air.

Noreen porta les feuilles à son nez. Elles avaient la même senteur que la menthe ordinaire, mais plus prononcée. L'odeur seule la calma. Elle dit à Lynda : « — Si c'est pour les femmes, je suppose que ça peut pas nuire. »

Lynda croisa les bras et sourit en regardant ses pieds. « — Elle aime aider les autres. Ça lui remonte le moral. Je suis contente. Elle m'a fait beaucoup de bien, à moi. Et elle l'a pas eu facile. »

« — Dans quel sens ? »

« — Elle a perdu sa fille unique. D'un cancer. L'été passé. Ça fait que... On te fait une tisane ? »

o

Plus tard, dans sa chambre, la brise parfumée du lac entrant par la fenêtre grande ouverte, Noreen commença à écrire son rapport, mais posa très vite son stylo. Tant de choses s'étaient passées au cours de la journée.

À la fin de la soirée, après avoir repêché les feuilles de menthe détrempées au fond de la tasse, elle les avait emportées dehors afin de les enfouir dans la cour arrière, comme Dolorès le lui avait suggéré. Lorsqu'elle s'était assise par terre pour creuser un petit trou à la cuiller sous le gros saule, la terre retournée avait fleuré le printemps et les pâtés de sable. Elle se demanda si le bébé qu'elle portait était une fille.

Elle reprit son stylo. *Del, j'imagine que tu sais que Dolorès avait une fille qui est morte du cancer, l'été passé. Si le cancer était une personne, je lui botterais le cul pour qu'elle s'en souvienne. Terminé. Noreen. P.-S. J'ai travaillé des environs de midi jusqu'à la fermeture.*

10

Le vendredi, vers quinze heures, Noreen servit deux clients entrés prendre un café et manger un morceau de tarte. Après quoi, plus rien. Au cours des deux derniers jours, il y avait eu passablement de gens pour le déjeuner, mais à l'heure du lunch, on comptait les clients sur les doigts de la main, et les après-midi et les soirées étaient déserts. Trois mouches bourdonnaient autour du comptoir, agaçant oreilles et nerfs. Seth avait été confiné à la cour arrière, où il jouait au camping avec Tessie, une activité impliquant des draps pour faire une tente, des macaronis et quelques chaudrons d'eau.

« — As-tu déjà pensé arracher le papier peint ? » demanda Noreen, amorphe, le menton appuyé dans la main.

Lynda leva la tête du journal de la veille, acheté à l'épicerie Shore, de l'autre côté de la rue, regarda le papier peint qui pendouillait au-dessus de la banquette du fond, et retourna à ses mots croisés. « — J'y ai pensé, dit-elle, penchée sur le journal et écrivant COMPAS à l'horizontale 19. J'ai pensé à un tas de trucs au cours des trois dernières années et demie. »

« — Je pourrais le faire pour toi. Puis après, je peindrais les murs. »

Lynda sirota bruyamment une gorgée de café, grimaça comme si le breuvage était amer – sans doute l'était-il – et posa sa tasse. « — Ça prendrait beaucoup de peinture. »

« — Je suis sûre que c'est pas si cher que ça. Envoye ! Laisse-toi aller un peu. » Noreen lui donna un petit coup de coude.

Lynda grogna comme si quelque chose lui donnait une indigestion et délaissa le journal. Elle fit tourner sa tête d'un côté, lentement, puis de l'autre, en grimaçant de douleur.

« — Je sais pas ce qu'il y a en dessous. J'ai peur de regarder. »

« — Pas moi. » Noreen descendit de son tabouret, qui vacilla et craqua. Elle se dirigea vers la banquette du fond, se percha sur un siège, tendit la main, attrapa le morceau de papier peint décollé, tira un bon coup, puis encore.

Soudain, un énorme pan de plâtre se détacha du mur dans un jaillissement poudreux, la faisant tomber à la renverse sur le plancher.

Elle demeura là, atterrée, alors qu'un nuage de poussière blanche retombait lentement. Au-dessus de la banquette, un trou révélait des fils électriques pendant entre de vieilles lattes de bois. Noreen se remit en chancelant sur ses pieds et, pivotant, fit face à une Lynda horrifiée.

11

Del s'assit devant un repas de saucisses de Francfort et de haricots en boîte réchauffés. Il regarda l'étroite cuisine de sa maison de ferme, comme s'il la remarquait pour la première fois, et il se rendit compte qu'il la haïssait. En fait, il haïssait cette maison – la vieille résidence familiale – depuis toujours. Elle était foncièrement laide.

Il essaya de se remémorer une époque de sa vie où il avait été heureux. Sincèrement, rien ne l'avait rendu plus heureux et plus fier que de construire le chalet avec Danny. Alors qu'ils y travaillaient tous deux, Danny avait parlé de quitter la ferme, de devenir charpentier, de son désir que Del finisse son secondaire pour qu'ils puissent partir une affaire ensemble, une petite entreprise de construction, peut-être. Au lieu de quoi, la vie avait changé et rien n'avait démarré. À présent, tout ça n'était plus que du vent.

Néanmoins, il se sentait mieux aujourd'hui que mercredi soir dernier, avant que Dolorès ne se pointe au chalet. Il était sorti sur la plage, puis était rentré et se tenait dans le séjour à se demander s'il n'était pas idiot de garder cette maison. Pourquoi ne pas tout laisser tomber ? Oublier l'experte en assurances, changer le tapis, contacter un agent immobilier et vendre le chalet. S'en débarrasser une bonne fois pour toutes.

Et puis Dolorès était apparue – le regardant à travers la porte-patio, qu'elle tapait du doigt – alors qu'il ne voulait voir personne. Elle l'avait coincé. Il n'avait eu d'autre choix que de la laisser entrer.

« — Alors, Delbert, avait-elle dit en passant à côté de lui, je m'étais promis que je t'aiderais à faire du ménage, et je vois que je suis pas en retard. On se prend un café et, après, on s'y met ? »

Quelques minutes plus tard, assise devant lui à la table de la cuisine, elle avait levé les yeux vers les murs vert pâle et dit : « T'as fait du beau travail, ici. J'aime les armoires. La cuisine a l'air neuve. »

Il avait acquiescé en hochant la tête.

« Tu pourrais faire la même chose avec le salon, avait-elle poursuivi en regardant dans sa tasse et en y faisant tourner le breuvage. De toute façon, il y a trop de souvenirs, ici. »

Dolorès avait une façon bien à elle de vous faire réfléchir, de dévoiler des idées qui germaient déjà dans votre tête et que vous n'aviez pas encore osé admettre.

12

Le silence emplit le café. Lynda disparut dans sa voiture en emmenant Seth et Tessie, ne laissant aucune instruction, ne disant rien à propos de l'énorme morceau de plâtre qui s'était détaché du mur. Elle s'était simplement levée, le visage livide, et était partie sans un mot.

Noreen fixa les gravats. Comment aurait-elle pu savoir ? Le mur était pourri, de toute évidence. Elle nettoierait. Elle pouvait au moins faire ça. Elle alla à la cuisine, trouva un sac-poubelle et commença à le remplir. Toutefois, lorsqu'elle souleva le sac, le contenu était si lourd qu'il perça le plastique et tout se retrouva sur le plancher. De la poussière fantomatique s'éleva de nouveau dans l'air, atteignit ses poumons et la fit tousser. Ses dents crissaient et ses yeux piquaient. Dehors, derrière le café, elle trouva une grosse poubelle vide, l'emporta à l'intérieur et recommença à nettoyer.

À n'en pas douter, ce trou rimait avec remous. Il bayait, accusateur, et elle sentit l'accusation peser sur elle tout le temps qu'elle balaya les débris. Elle remplit ensuite le seau d'eau savonneuse, et se mit à frotter.

Elle était en plein ouvrage quand l'autobus Grey Goose stoppa devant le café. L'odeur étouffante des vapeurs de diesel suivit le chauffeur jusqu'à l'intérieur. Elle pouvait apercevoir quelques passagers qui regardaient à travers les vitres zébrées de saleté, anxieux de repartir, attendant que le jeune homme remonte dans le bus.

« — Un paquet de cigarettes. » Le chauffeur pointa la marque qu'il désirait puis se tourna vers le mur et y regarda à deux fois en remarquant le trou. « Qu'est-ce qui s'est passé ? »

« — On a eu un accident », lui répondit Noreen en allant lui chercher ses cigarettes.

Il siffla tout bas. Il empestait l'eau de Cologne et portait un minuscule diamant à l'oreille. « — Ouais, dit-il d'une voix traînante. Tout un show ! »

« — Très drôle », rétorqua-t-elle.

« — Pas de passager, aujourd'hui ? » Il lui tendit un billet de vingt.

Elle compta la monnaie. La lui rendit dans la chaleur de sa paume douce. Regarda par-dessus son épaule ce qui restait du mur. Pensa qu'elle serait pointée du doigt pour ce nouveau désastre. Qu'elle ne pourrait jamais s'en sortir. L'incident s'était produit sous les yeux de Lynda.

Elle inspira profondément. « — Combien un aller simple pour votre destination finale ? »

13

Lynda laissa Seth et Tessie dans la voiture, se rendit à la porte arrière de la maison de Del et cogna si fort qu'elle la fit vibrer. Il apparut quelques secondes plus tard. En la voyant, il lissa ses cheveux, la fit entrer dans la cuisine en souriant, lui offrit un café, une chaise. Avait-elle faim ? Il vit sa voiture par la fenêtre. Pourquoi ne faisait-elle pas sortir Tessie et ne laissait-elle pas entrer Seth ?

Debout au beau milieu de la cuisine tranquille – un vent d'été s'engouffrait par la porte ouverte et soufflait partout dans la maison –, elle entendit une vache meugler au loin, dans un champ. Elle pouvait sentir les yeux de Del posés sur elle, sa gentillesse. Elle demeura silencieuse pendant un long moment tandis qu'il patientait, sans bouger, sans la presser de parler. Enfin, elle se décida : « Quelque chose est arrivé au café. J'ai le goût de tout lâcher. Mais j'ai pensé qu'avant de le faire, je serais peut-être mieux de venir ici. Pour te voir. Et te demander… de l'aide. »

14

Noreen grimpa à bord du bus. Elle n'avait pas mis plus de cinq minutes pour fourrer ses affaires dans le sac à dos et le sac de plastique avec lesquels elle était arrivée. Elle remonta l'allée et se laissa choir dans un siège vide tandis que le long véhicule repartait.

« Prochain arrêt, Willow Point ! » lança le chauffeur de sa voix grave et endormie.

Noreen s'enfonça dans son siège, posa ses pieds sur celui qui lui faisait face et regarda la ville de Pembina Lake disparaître. Il lui restait quelques billets de vingt dollars et un peu de monnaie, et elle ne savait pas ce qu'elle ferait après. Perchée au-dessus de la route, les roues de l'autobus tournant sous elle, elle ne souhaitait qu'une chose : être dans le moment présent, sans idée, sans plan.

Elle sortit une barre tendre de son sac – un des achats qu'elle avait faits quand Lynda et elle s'étaient arrêtées à la pharmacie après sa visite chez le docteur –, déchira l'emballage, mordit dedans, mastiqua, avala. Après quelques bouchées, le mouvement de l'autobus lui donna la nausée. Elle remit la barre dans son sac. Sur le siège opposé au sien, un bébé commença à geindre. Elle observa la mère relever sa blouse. Le petit s'attacha aussitôt à son sein et se mit à téter.

Toute cette histoire de bébé était si troublante. Elle détourna le regard et pensa à Wesley. Elle ne le reverrait sans doute jamais. Elle avait été si épouvantable avec lui.

Elle regarda par la fenêtre. Le paysage défilait maintenant à toute vitesse, dans toute la plénitude de l'été verdoyant : les champs cultivés, les étangs luxuriants, les collines qu'ils venaient d'atteindre. Soudain, elle remarqua deux véhicules qui arrivaient par une route transversale et stoppaient à la jonction de la grand-route. Elle les reconnut : c'étaient la familiale rouge de Lynda et le pick-up vert de Del. L'autobus les dépassa ; elle étira le cou pour les suivre jusqu'à ce qu'ils disparaissent de son champ de vision. Le chauffeur ouvrit sa fenêtre et s'accouda au montant. Abandonné dans les bras de sa mère, le bébé acheva de téter.

Une envie irrésistible de descendre du bus l'envahit. Ramassant ses affaires, elle bondit hors de son siège et descendit l'allée en vacillant, sous le regard étonné des passagers.

« — Laisse-moi descendre », dit-elle au chauffeur.

« — Ici ? demanda-t-il en fixant la route. C'est pas un arrêt légal. »

« — Je m'en fous. » Elle lui lança un regard empoisonné. « Arrête ton maudit bus et laisse-moi descendre. »

Les yeux du chauffeur allèrent rapidement de la fille à la route. « — Je te rembourserai pas. T'as acheté le billet. C'est clair ? »

« — Je m'en fous comme de l'an quarante. C'est clair, ça ? »

Il haussa les épaules, ralentit, freina jusqu'à l'arrêt complet du bus et la fit descendre.

Les deux pieds sur l'asphalte, elle enfila les courroies de son sac à dos – qui lui tomba sur les reins – et balança le sac de plastique pardessus son épaule. L'air embaumait la végétation odorante. Bien sûr, l'idée de retourner finir son temps comme laquais de Lynda était stupide. Et ils la détesteraient tous, à présent. Mais au diable tout le monde ! Elle allait faire face. Le soleil déclinant lui tapait dans les yeux. La marche du retour s'annonçait longue et chaude.

15

« — Fuite d'eau, dit Del. Tu vois ? » Il pointa le trou. « Regarde cette latte-là. Même d'ici, tu peux voir que les panneaux sont pourris et que les clous sont rouillés. Peut-être que la bâtisse au complet est croche. Mais… »

Lynda croisa ses bras sur sa poitrine ; elle n'en croyait pas ses oreilles, se demandait combien tout ça allait coûter. La peste soit de cette fille ! Et où était-elle passée ? La porte du café avait été laissée grande ouverte et il n'y avait aucune trace d'elle.

« — S'il te plaît, Seth, irais-tu en haut trouver Noreen et lui dire qu'elle descende ici au plus vite ? »

Tirant Tessie par le collier, Seth monta chercher Noreen.

« — Sois pas trop dure avec elle, lui dit Del. Tôt ou tard, ce serait arrivé. Elle est mal tombée, c'est tout. » Il passa sa main sous son menton. « Il va falloir que je jette un coup d'œil au toit. Le problème vient peut-être de là. » Il avait l'air sérieux d'un médecin qui s'apprête à annoncer une mauvaise nouvelle à un patient.

« — Je suis dedans jusqu'au cou, hein ? articula-t-elle péniblement. Ça fait que, s'il te plaît, épargne-moi rien qu'on en finisse. »

« — Justement, Lynda, pendant qu'on est là, s'aventura-t-il délicatement, j'ai toutes sortes de matériaux de construction. Qui sont là, à rien faire. » Il fit une pause, croisa les bras, la regarda, puis détourna les yeux. « Je pourrais… t'aider. Comme tu me l'as demandé. »

Le petit garçon revint à ce moment-là, et Lynda posa distraitement ses paumes sur ses fines épaules.

« — Maman, dit Seth en interrompant le cours de ses pensées. Noreen est partie. »

« — Qu'est-ce que tu veux dire par *partie*? » Elle fixa ses yeux innocents et pensa qu'il n'avait peut-être pas regardé dans toutes les pièces. Puis elle se souvint à travers tout ce qui venait de se passer qu'on était vendredi, que l'autobus s'arrêtait en ville tous les vendredis et que, dix minutes plus tard, il s'était évanoui comme un rêve que vous pensiez avoir fait et dont vous essayiez de vous souvenir. Alors, oui, en ce moment même, Noreen pouvait très bien être dans cet autobus, qui roulait à travers les collines, en route vers Dieu sait où.

Elle se sentit d'abord soulagée, puis en colère. Et enfin, à sa grande surprise, déçue.

16

La première chose que vit Noreen quand elle entra dans la petite ville fut Del, debout sur le toit du café. Elle laissa tomber ses affaires à côté de la bâtisse. Elle était collante, en sueur, et voulait prendre une douche au plus vite ! Mais Del la regardait du haut du toit. Ah merde ! pensa-t-elle, et elle le salua de la main sans grand enthousiasme. Il ne lui rendit pas son salut. Il resta là, les mains sur les hanches, le soleil du début de soirée encore haut derrière lui, en cette journée caniculaire de juillet.

« — Je pensais que t'étais partie avec le bus », dit-il.

« — Tu m'en diras tant. » Elle était de retour et s'ils n'étaient pas contents, ils pouvaient tous aller se faire foutre. Elle continuerait de faire ce qu'elle devait faire depuis le début.

Del ne dit rien, s'accroupit sur le toit et tira sur un bardeau de bois. Qui lui resta dans les mains. Il le lança par-dessus bord et celui-ci s'écrasa sur le sol.

« Écoute, poursuivit Noreen qui détestait être ignorée par lui, je suis revenue, non ? Et ça m'a pris deux maudites heures ! J'ai marché tout le long ! »

« — Bravo. Maintenant, rentre et explique-toi avec Lynda. »

Les banquettes avaient été éloignées du mur. Le trou était plus gros que lorsqu'elle était partie ; quelqu'un avait gratté le plâtre afin de mieux voir à l'intérieur. Lynda se tenait au centre du café, un balai dans une main, un seau dans l'autre. Dolorès – assise à la table la plus proche de la cuisine – tenait Seth sur ses genoux. Elle fit une moue désapprobatrice lorsqu'elle vit Noreen passer la porte et regarda en direction de Lynda.

« — Où t'étais passée ? » demanda Lynda. Comme si c'était ses oignons !

« — J'étais sortie », répliqua Noreen.

« — Sortie ? As-tu la moindre idée de ce que t'as déclenché, ici ? As-tu la moindre idée de... Te vois-tu aller ? T'es complètement paumée ! »

Noreen s'affaissa sur une chaise près de Dolorès et patienta pendant que Lynda l'enguirlandait, gueulant à propos des murs qu'on devrait défoncer, et d'une cloison sèche qu'on devrait poser et de la peinture qu'il y aurait à faire, et d'une section du toit qui devrait être arrachée puis remplacée, et comment rien de tout cela ne serait fait pour le lendemain, et que samedi était sa seule bonne journée de la semaine, et qu'elle serait aussi bien de jeter la serviette tout de suite, et qu'est-ce que Noreen comptait faire pour remédier à ça ?

« — Pourquoi tu fermerais ? dit Noreen. Les gens vont venir quand même. On leur vendra des crêpes, et ça leur fera un sujet de conversation. »

Dolorès hocha la tête en silence, comme pour montrer qu'elle était plutôt d'accord, et caressa les genoux nus de Seth.

« — Regarde autour de toi ! cria Lynda. Peux-tu arrêter deux minutes de te regarder le nombril et envisager les répercussions du bordel dans lequel tu m'as foutue ? »

Elle était de toute évidence trop émotive, trop folle de rage pour qu'on lui dise quoi que ce soit. Noreen ne répondit donc pas. Elle alla derrière le comptoir, se versa un verre d'eau, l'avala d'un trait, essuya sa bouche avec sa main sale.

« — Si vous voulez bien m'excuser, dit-elle froidement, je vais aller aider Del. »

La porte-moustiquaire claqua derrière elle. Elle sortit et leva la tête, mais ne le vit pas. Elle se rendit dans la cour latérale. Del venait juste de commencer à descendre une échelle à coulisse appuyée contre la bâtisse.

« — Le quart du toit a besoin de nouveaux bardeaux, dit-il alors que ses pieds raclaient et cognaient les barreaux de métal, produisant des bruits creux. Une journée d'ouvrage et ça devrait aller. »

« — Je vais t'aider », décida Noreen énergiquement.

Il atteignit le sol, lança son chapeau par terre, s'essuya le front. « — Seulement si t'acceptes de m'écouter. Tu peux pas valser d'un bord à l'autre sur une surface dangereuse comme celle-là. À certains endroits, le bois est complètement pourri. »

« — Ça peut pas être si dur que ça de réparer un toit. » Elle voulait grimper l'échelle et se tenir debout, là-haut – être là, tout de suite, avec le ciel derrière elle –, se mettre à l'ouvrage avec un marteau et des clous. Elle se sentirait libre. Comme un oiseau.

Del lui jeta un regard dur. « — T'es maudítement mieux de pas monter sur le toit. À moins d'être avec quelqu'un. Il est temps que t'arrêtes d'agir comme une sans cervelle. Même Seth a plus de jugeotte que toi. »

Frustrée, elle le regarda séparer l'échelle en sections, les prendre, les appuyer contre le mur du café, puis marcher à travers l'herbe haute et les pissenlits jusqu'à son pick-up. Par-dessus son épaule, il lui offrit : « J'ai des choses à ramasser au chalet. Il faut que je les charge dans le camion pour pouvoir commencer à travailler à la première heure demain matin. Si tu veux me suivre, t'es la bienvenue. Je serais heureux d'avoir de la compagnie. »

Elle ne voulait pas aller au chalet, ne voulait pas retourner sur la scène de sa dernière connerie. Toutefois, même si elle sentait encore les mots de Del la piquer, elle voulait être avec lui. Alors, que pouvait-elle faire d'autre ?

17

Noreen se tourna dans son lit – la lumière du matin lui piqua les yeux –, enfonça sa main dans son sac et en sortit la barre tendre qu'elle avait commencé à manger dans le bus. Une bonne nutrition était essentielle, avait dit le médecin. Jusqu'à ce qu'elle prenne une décision, elle pouvait au moins se plier à ça. Elle tira l'emballage, prit une bouchée. Mastiqua. Avala. Gladys disait toujours que les choses avaient meilleure mine, le matin. La plupart du temps, Noreen trouvait que, sur ce point, sa demi-sœur était complètement dans les patates.

Elle changea de position, appuya sa tête sur le mur derrière son oreiller. Une bouteille de jus d'orange se trouvait sur le plancher, à côté de son lit. Comment était-elle apparue là ? Elle la prit, dévissa le bouchon, en but une longue gorgée fraîche. Pour la première fois depuis longtemps, elle ne se sentait pas nauséeuse. Même ses seins, qui avaient été si sensibles quelques jours plus tôt, ne la gênaient plus. Elle se demanda si c'était normal, si certains symptômes liés à la grossesse disparaissaient après quelque temps. C'était sans doute l'œuvre de la menthe sauvage que Dolorès lui avait prescrite. Peut-être devrait-elle lui en demander d'autre. Elle termina la barre tendre, s'assit à l'indienne sous les couvertures et savoura cette nouvelle sensation de bien-être. Le t-shirt bleu pâle dans lequel elle avait dormi tombait comme un morceau de ciel par-dessus son corps. Elle flatta son ventre, là où se trouvait le bébé, puis inspira et expira lentement.

La porte du bureau de Lynda s'entrouvrit en grinçant. Dans l'entrebâillement, elle vit des petits yeux qui la fixaient.

« — Arrête de m'espionner. » Un petit rire lui parvint de l'autre côté de la porte. « O.K. Tu peux entrer si tu veux. »

Le chapeau de cow-boy de Del sur la tête, Seth bondit dans la pièce, Tessie sur ses talons. « D'où est-ce qu'elle sort, elle ? cria Noreen. Dégage, Tessie ! »

La chienne n'écouta pas. Elle grimpa sur le lit. Et Seth aussi, envoyant valser le chapeau de Del sur le plancher. L'animal posa son museau sur ses pattes et agita la queue. Seth s'enfouit sous les couvertures, puis leva la tête vers l'adolescente et la regarda intensément. « — Je suis content que tu sois revenue, Noreen. »

Devant sa généreuse spontanéité d'enfant, elle eut honte. Après tout, il n'était qu'un petit bout de chou, un petit être qui voulait de l'attention comme n'importe qui d'autre. Jusqu'ici, elle avait passé le plus clair de son temps à tenter de l'ignorer.

Elle l'attira à elle. Ses cheveux sentaient le shampoing. Il se blottit joyeusement contre son corps, en flattant son abdomen.

« — Est-ce que c'est le bébé ? »

« — Oui. »

Sa petite main demeura sur le ventre de Noreen. « — C'est un bébé fille ou un bébé garçon ? »

« — Je sais pas. Mais j'ai l'impression que c'est une fille. » Elle laissa retomber sa tête lourdement contre le mur et eut soudain envie de pleurer. Peut-être était-ce l'effet de ses hormones. Elle prit une grande inspiration. « Où est ta mère ? »

« — En bas. Pis je m'ennuie, je m'ennuie, je m'ennuie... » Seth poussa un petit soupir en frissonnant.

Noreen redressa vivement la tête. « — Est-ce que le café est ouvert ? Est-ce que ta mère a décidé d'ouvrir, aujourd'hui ? »

«— Oui, et elle veut pas que je l'aide.»

«— Ôte-toi de là.» Elle se redressa tout à fait. «Est-ce que Del est arrivé? Crisse ton camp, O.K.? Il faut que je m'habille.»

«— Je veux pas crisser mon camp. Je veux rester ici. Avec toi.» Il se coula sous la couverture.

Noreen le découvrit. «— Envoye, va-t'en!»

À contrecœur, Seth se laissa glisser jusqu'à ce que ses pieds nus touchent le plancher. Il ramassa le chapeau de Del, le mit sur sa tête, revint près du lit et tira sur le collier de Tessie. La chienne grogna, descendit du lit comme une grosse balourde puis disparut dans le corridor. Quant à Seth, il resta près de la porte, tournant et retournant nerveusement ses doigts. Soudain, il porta sa main à sa bouche souriante, lui envoya un baiser mouillé du bout des doigts et se sauva en courant.

Noreen repêcha sa montre dans son sac à dos; il était sept heures moins dix. Del serait bientôt là. Elle sentit le café qu'on moulait, entendit le grincement de la porte de côté qu'on ouvrait, puis la voix de Dolorès, qui parlait à Lynda. Elle enfila un pantalon, un t-shirt et ses baskets et dévala l'escalier pour faire face à la musique et à la journée.

o

Des lambeaux de vieux papier peint, des fragments de plâtre et l'intérieur des murs étaient visibles derrière les banquettes, qui avaient été temporairement remises en place. Seth sautait et courait au milieu de la pièce, zigzaguant entre les tables montées pour le déjeuner.

« — Dehors ! Tout de suite ! » lui ordonna sa mère.

Seth s'arrêta net, regarda l'adolescente et se remit à courir.

« On est ouvert », dit Lynda à Noreen, son regard accusateur braqué sur le mur troué. Ce disant, elle ne remarqua pas l'attitude défiante de son fils.

« — Crisse ! Crisse ! Crisse ! Crisse ! » chanta le garçonnet tandis qu'il accélérait sa sarabande autour des tables.

Les mains sur les hanches, Lynda lança un regard furieux à Noreen. « — Et merci pour ta charmante influence sur le bon parler de mon fils. »

Au même moment, Del entra bruyamment, trois pots de peinture dans chaque main. Seth passa à côté de lui, Tessie à la remorque.

« — J'ai trouvé ton chapeau, Del ! » cria-t-il en disparaissant sous le ciel d'été.

« — Et comment vont ces dames, ce matin ? » s'enquit Del avec circonspection. Il hocha la tête pour Noreen, qui roula des yeux, puis pour Lynda.

Lynda répondit en levant les bras et en tirant furieusement sur l'élastique qui retenait ses cheveux. Elle secoua sa tignasse et la renoua en un chignon étrangement beau. « — Veux-tu un café ? »

« — Ce serait pas de refus. »

L'espace d'un instant, Del sembla se demander ce qu'il devait faire. Puis, il déposa les pots de peinture et se tint droit sur ses jambes, comme si rien au monde n'était plus important que le moment présent.

Et puis, soudain, Noreen eut une illumination, qui lui fit réaliser trois choses. Primo : bien que cette ville fût petite et déprimante, les gens y restaient et s'entraidaient. Secundo : Del – sans blague ! – était complètement pâmé sur Lynda et, encore plus étrange – le langage corporel ne mentait pas –, cette dernière lui renvoyait quelque chose de très puissant. Et tertio : ces deux-là, sans une intervention majeure, ne finiraient jamais au lit ensemble.

« Mais dérange-toi pas pour en faire, bafouilla Del, comme frappé par la foudre. Du café… S'il est pas fait… »

Lynda rougit et baissa les yeux. « — Y'en a toujours de fait. On est dans un café. Y'a toujours du café de prêt. »

o

Un flot constant de clients arriva, puis repartit tout l'avant-midi pendant que Noreen et Del, juchés sur le toit, arrachaient une section de vieux bardeaux et sciaient le bois pourri, qu'ils lançaient ensuite dans la cour latérale. On pouvait voir toute la vallée depuis le toit du café : le lac qui miroitait et s'étirait vers le sud et les cimes des arbres secouées par la brise humide, qui soufflait sur la ville.

Ils travaillèrent sans relâche ; Del craignait la pluie. Tout devait être achevé avant la nuit. Elle lui obéit au doigt et à l'œil, et ils parlèrent peu, se concentrant sur l'ouvrage. À midi, ils avaient dégagé les chevrons. Ils s'assirent pour luncher sur les marches d'en avant. Après quoi, Del scia quelques planches de contreplaqué selon les mesures prises, qu'ils montèrent ensuite sur le toit. Il remit à Noreen un marteau et lui montra comment aligner et enfoncer les clous. Vinrent ensuite les feuilles de papier goudronné, taillées, superposées et agrafées sur le contreplaqué. En début de soirée, lorsqu'ils redescendirent manger un hamburger, ils étaient prêts à installer la bande de recouvrement, puis à poser les bardeaux.

o

À dix heures, ce soir-là, Noreen suivit Del jusqu'au camion et passa sa tête par la fenêtre du passager. « — J'ai écrit les rapports, comme tu me l'as demandé. »

« — C'est bien. » Il lui fit un bref signe de tête. « Lâche pas. » Sa main était posée sur la clé.

« — Et je la paye pour la bouffe et le reste. » Elle ouvrit la portière, monta prestement dans le pick-up et claqua la portière. Il la regarda, alarmé.

« Ben oui ! Je suis la paumée des paumés, je le sais. » Elle joua avec un morceau de plastique décollé qui retroussait près de la serrure. Puis, elle laissa retomber sa tête sur l'appui-tête. « Écoute, j'ai pas voulu lui faire de mal. » Inspiration. « Je peux te dire quelque chose ? »

« — Quoi donc ? » Toute son attention était tournée vers elle à présent. Quelque chose comme un sourire commençait à apparaître sur le visage de l'homme.

« — Si je te le dis – de paumée à paumé –, promets-moi que tu te fâcheras pas et que tu me détesteras pas. »

« — Je vais essayer », dit-il dans un petit rire.

« — C'est moi qui ai presque tué son maudit chien. »

Le sourire de Del s'évanouit. Comme la lune derrière les nuages.

« — Tessie ? Tu veux dire Tessie ? »

« — Ouais, Tessie. Je l'ai pas fait exprès. Je lui ai juste donné l'os de poulet parce qu'elle m'achalait. Elle quémandait. Il était tard. Je venais d'arriver ; c'était ma première nuit. Écoute, je suis dans une place où j'ai jamais mis les pieds, je viens de piquer le pick-up pis l'argent de mon chum et, en plus, je suis à peu près sûre d'être en cloque. Ça fait que j'avais pas la tête à tirer des plans pour faire péter l'intestin d'un chien. »

« — Noreen, ma fille, réussit-il à dire, t'es un drôle de moineau. As-tu toujours fait ça ? Te promener d'un désastre à l'autre ? »

« — C'est pas drôle », dit-elle, l'air misérable.

« — Je ris pas. » Il tendit la main et lui toucha doucement l'épaule. « Retourne en dedans. Demain, une grosse journée nous attend. Et, apparemment, tu dors pour deux. »

Elle sortit du camion et le regarda reculer dans la rue. Il lui fit un signe de la main, qu'il leva bien haut, en s'éloignant.

o

Del.

Quand ma mère, Amazing (demande-moi pas pourquoi je l'ai toujours appelée comme ça, parce que, crois-moi, elle est loin de l'être !), a enfin trouvé quelqu'un qui la marierait, elle m'a promis : « À partir de maintenant, ma chérie, les choses vont se mettre à bien aller pour nous autres. » *Le Deux-de-pique, son futur mari, nous sortait tout le temps au restaurant et sa fille de douze ans, Gladys, le regardait de l'autre bord de la table comme si elle n'en croyait pas ses yeux. Je me souviens de ce regard dans son visage. Et dis-moi pas que j'étais trop jeune pour m'en souvenir. Certains souvenirs sont clairs comme de l'eau de roche, comme toi et moi on le sait.*

Ça fait que je veux savoir : comment je peux donner naissance à un bébé dans un monde aussi minable ? Terminé. Noreen.

18

Sur un chantier de construction au sud de Brandon, Wesley ôta son casque jaune, essuya la sueur de son front et marcha vers son pick-up. Son meilleur ami, Martin LaTourelle, grand, mince, le visage innocent d'un enfant et l'esprit aussi agité qu'un orage de Saskatchewan, le suivit nonchalamment en tirant une dernière fois sur sa cigarette. Il était interdit de fumer dans le camion de Wesley, un petit écriteau pendant à son rétroviseur l'indiquait. Tous les gars s'en amusaient puisque tous, sauf Wesley, fumaient, mais quoi qu'il en soit, tous se pliaient à l'interdit. Ils avaient peut-être tous tenté – et réussi à un moment ou à un autre – de baiser son ancienne blonde, Chantelle, mais ils respectaient son interdiction de fumer.

Pour des raisons évidentes, aucun de ses compagnons de travail n'avait jamais été présenté à Noreen. Mais ils savaient tous qu'elle était la raison pour laquelle il s'était coupé les cheveux. Alors, ils lui offrirent des bières. Ils lui racontèrent des blagues. Ils le sortirent jusqu'à trois heures du matin alors qu'ils devaient tous être au chantier tôt le lendemain. Tout ça pour le distraire. Mais rien n'y fit.

Martin s'assit sur le siège du passager, balança ses jambes de sauterelle dans le camion de Wesley, et ils se mirent en route vers Brandon.

« — Viens-tu faire un tour chez nous, mon homme ? » lui demanda Martin.

« — Non. Je pense que je vais aller me coucher. »

« — Et dimanche ? On pourrait passer la journée ensemble. Qu'est-ce que t'en penses ? On pourrait aller à Clear Lake. Se baigner, se faire dorer la couenne. Envoye ! Ce serait l'fun. »

« — Je vais y penser. »

« — Tu devrais l'appeler, tu sais. Peut-être qu'elle est encore là-bas. Enceinte de ton flot. Qu'est-ce qui se passe si elle décide de le garder ? Ton petit va grandir dans une famille que tu connais pas. »

« — Elle me l'a déjà dit : elle va se faire avorter. »

« — Ah oui ! Elles disent toutes ça. Certaines le font. D'autres non. Et celles qui le font pas s'accrochent à toi. En tout cas, c'est ce qui m'est arrivé. »

Wesley éternua et, l'air abattu, regarda la prairie. À l'horizon, un rouge violacé enflammait le ciel. Il baissa sa vitre pour respirer l'air de la nuit, une nuit douce et sucrée comme le trèfle. Il soupira. Pourquoi les femmes n'étaient-elles pas aussi douces et sucrées que le trèfle ?

19

Dolorès n'arrivait pas à dormir. Delbert avait travaillé au café jusque tard en soirée pour réparer une autre calamité déclenchée par Noreen. Lynda était si enragée contre elle qu'elle en avait perdu toute perspective d'ensemble. Malgré tout, le Café Molly Thorvaldson avait connu un bon samedi. Noreen avait eu raison : ce trou dans le mur avait fourni aux gens un sujet de conversation. Et un objet de distraction. Il y avait eu plus de clients que les trois samedis précédents additionnés, pas seulement pour le déjeuner, mais aussi un nombre considérable de dîneurs pour la table d'hôte du midi. Et la journée s'était poursuivie comme ça jusqu'au souper, où le café avait accueilli une foule d'affamés. Les gens adoraient les problèmes, ceux des autres, bien entendu, pas les leurs. Toutefois, lorsque Lynda avait compté la caisse à la fin de la journée, son visage était demeuré amer, ce qui était inexplicable.

Et puis Mary ne s'était pas montrée, comme elle en avait pourtant l'habitude, les samedis après-midi. Quand Dolorès lui avait téléphoné pour savoir si tout allait bien, elle s'était fait raccrocher au nez. Au cours de leur longue amitié, Mary n'avait jamais fait une chose pareille. Si tranchante. Si méchante.

Dolorès tendit le bras et alluma la lumière, balança ses jambes raides hors du lit et fourra ses pieds nus dans ses pantoufles. Ne s'embarrassa pas d'enlever son pyjama, enfilant plutôt un chandail et un pantalon en polar par-dessus. Elle fit une pause devant le miroir pour placer ses cheveux. Qui était cette femme ? Une peau ridée qui avait déjà eu la douceur du velours. Des yeux pochés. Ah ! Dolorès. Tu as juste vieilli. Tu les as eues, tes vertes années.

Elle décrocha son blouson de la patère près de la porte arrière puis sortit. L'air sentait bon, et elle prit une grande inspiration. Après tout, le Créateur nous avait donné la magie des grillons chantant dans l'obscurité, des nuits d'été et des arbres bruissant, des firmaments constellés de messages scintillants.

Chez Mary, la lumière du balcon brillait de tous ses feux. Peut-être n'était-elle pas encore couchée ? Toutes deux avaient toujours été des oiseaux de nuit. Dolorès passa à côté de la vieille voiture de Mary ; des feuilles de chêne recroquevillées, datant de l'automne dernier, étaient encore prisonnières des essuie-glace. La preuve qu'elles n'étaient pas allées se balader depuis belle lurette. Que Mary n'avait pas pris le volant depuis longtemps. Eh bien, il était grand temps d'avoir une conversation. Grand temps que les choses sortent à l'air libre.

Elle cogna à la porte et, comme il n'y avait pas de réponse, elle entra. Les déchets n'avaient pas été sortis depuis plusieurs jours. Lorsqu'elle pénétra dans le salon, elle trouva Mary endormie devant la télé. Oprah parlait avec Dr Phil McGraw et leurs invités, des enfants issus d'unions désastreuses. Ça devait être une cassette ; Oprah devait être au lit à cette heure-là. Elle s'empara de la télécommande et enclencha le rembobinage. Dr Phil et Oprah revinrent en arrière, au début de leur conversation. Mary, la bouche molle, son chandail blanc taché de sauce et boutonné en jalouse, une serviette de papier pendant comme un drapeau à une boutonnière, ronflait assez fort pour qu'il soit difficile d'entendre quoi que ce soit, à moins de monter le volume.

Dolorès resta assise là à regarder défiler les images silencieuses. Dr Phil se penchait vers l'avant, les doigts joints comme en prière. Faisait valoir son point de vue, quel qu'il soit.

Et Oprah, attentive, écoutait avec son cœur, comme elle savait si bien le faire. C'était bien que les gens disent la vérité et manifestent leur sympathie les uns envers les autres. Elle espérait que les gens agissent ainsi. De nos jours, personne ne semblait intéressé à avoir des conversations profondes. À moins bien sûr que vous ne les confrontiez. Ce qui demandait beaucoup de travail. Et vous épuisait le cœur.

Elle tendit la main et donna un petit coup sur le bras de Mary pour la réveiller. Celle-ci avait bavé durant son sommeil. Dolorès tira sur la serviette de papier et lui essuya le menton, ce que de bonnes amies faisaient l'une pour l'autre. Puis, fourrant la serviette dans la main ouverte de sa vieille copine dont le visage ahuri était totalement réveillé, Dolorès dit d'un ton sérieux : « — Il faut qu'on se parle. Peut-être que t'as quelque chose à me dire. Peut-être que, jusqu'ici, j'ai pas voulu l'entendre. Peut-être que depuis quelque temps, depuis que Mirella est morte, j'ai pas eu de place pour toi dans mon cœur. »

Mary se redressa dans son fauteuil. Joua avec les boutons de son chandail. Les déboutonna lentement, un par un. Les reboutonna correctement. Gratta la tache de sauce. Joignit les mains. Frotta son pouce gauche sur les jointures de sa main droite. « — J'ai fait une crise de cœur, l'automne passé, finit-elle par articuler. Une petite crise, que le docteur a dit. C'est arrivé pendant que je conduisais. T'étais pas avec moi, ce jour-là. Ça s'est passé deux mois après la mort de Mirella, et avec tout ce qui se passait, je trouvais que c'était pas une bonne idée de t'en parler, et je voulais pas t'inquiéter. »

« — Oh, murmura Dolorès. Oh, mon Dieu. »

« — Et j'en dirai pas plus, Dolly. Faisons pas un cas de ça, veux-tu ? » Mary disjoignit ses mains et se mit à les frotter rythmiquement le long des bras du fauteuil.

Oprah et Dr Phil avaient terminé leur conversation. Le générique passait à l'écran. Dolorès se cala dans son fauteuil pour signifier à Mary qu'elle ne s'en allait pas. Plus tard, elle se lèverait pour laver la vaisselle, sortir les déchets, faire du thé. Puis, elle se rassoirait et resterait avec son amie de toujours, jusqu'à ce que la nuit se change en jour. Comme dans le bon vieux temps. Comme deux pierres sœurs regardant le chaud soleil de juillet se lever.

20

Noreen interrompit son travail avec Del pour sortir engueuler Seth, qui, armé d'un tue-mouche, tapait si fort sur les mouches posées sur la porte-moustiquaire qu'un coin déjà percé du fin treillis noir pendait maintenant mollement et flottait dans l'air matinal. Un autre truc qu'il faudrait réparer.

Le garçonnet disparut de l'autre côté de la bâtisse, jouant à cache-cache avec elle. Elle abandonna la partie et revint à l'intérieur. Tandis qu'elle était encore à balayer la poussière de plâtre, Dolorès et Mary pénétrèrent dans le café. Le vent s'engouffra à leur suite, suivi de près par Seth. Laissant tomber la tapette à mouches, il se jeta dans les jupes de Dolorès, et la main de la vieille dame lui caressa la joue.

Sans se retourner, Del les accueillit : « — Bonjour, Dolorès. Mary. Ces dames pourraient-elles s'occuper du garçon ? Il est très agité, ce matin. Et Noreen et moi, on s'apprête à poser la cloison sèche. »

Dès huit heures ce matin-là, quand Del était arrivé et avait éloigné les banquettes du mur, ils s'étaient activés avec des scies et des marteaux, ouvrant le mur du plancher au plafond, avançant petit à petit jusqu'à ce que Del trouve la poutre qu'il cherchait.

« — On peut pas rester, dit Mary, qui tenait fermement un sac à main de plastique rouge. Mais on peut emmener Seth à l'église avec nous. »

« — On peut rester encore un moment. On a du temps », la corrigea Dolorès en regardant ce qui avait été accompli. Souriant à demi, elle se tourna vers Noreen. « Je voulais prendre de tes nouvelles, ma chouette. D'autres symptômes ? »

Mary, qui se tenait à distance et regardait Noreen de bas en haut d'un air désapprobateur, se tourna vers Seth. « — Es-tu prêt pour aller à l'église ? Où est ta mère ? »

« — Ma maman est très, très fatiguée. Elle est retournée se coucher. »

Et pouf ! il sortit dehors en courant, puis paf ! paf ! paf ! tapa sur les mouches.

« — Il y a du café chaud, si vous en voulez, les informa Del. C'est gratuit aujourd'hui. »

Mary frappa ses mains ensemble, redressa les épaules, hocha la tête plusieurs fois comme si elle prenait une décision. «— O.K. Vous allez devoir m'excuser. Je vais voir comment va Lynda.» Et elle disparut par la porte de la cuisine.

Noreen agrippa Dolorès par le bras, sentit sa vieille peau douce et ridée, l'emmena à l'écart et la fixa droit dans les yeux. «— Le matin, j'ai plus du tout mal au cœur. Et je voulais vous demander, dit-elle en baissant la voix pour ne pas que Del l'entende, est-ce que c'est normal que mes seins ne me fassent plus mal comme avant? Est-ce que ça veut dire que votre tisane a marché? Est-ce que c'est ça qui se passe? Vous comprenez, je veux juste savoir si... si tout est O.K.»

Dolorès recula en fronçant les sourcils. «— C'est pas la tisane qui a fait ça. T'as besoin de ralentir, ma chouette.»

«— Ah oui?» Des larmes inopportunes lui montèrent aux yeux. «Lynda me déteste. Et c'est pas ma faute. En fait, pas vraiment. C'est juste arrivé comme ça. Tout ce que j'ai fait, c'est tirer sur un bout de papier peint.»

«— Elle m'a dit que tu travaillais pour elle, maintenant. Bientôt, elle aura plus besoin d'une vieille serveuse comme moi. Elle en a une jeune qui fait l'affaire.»

«— Elle... elle me paye pas», balbutia Noreen.

Dolorès inclina la tête de surprise. « — Elle te paye pas ? Elle m'a pas dit ça. »

« — Écoutez, rétorqua Noreen en tentant de maîtriser sa colère naissante. Inquiétez-vous pas. J'en veux pas de votre job plate. J'ai jamais prévu rester ici. » Elle jeta un regard en direction de Del.

« — J'ai presque fini, dit-il en se tournant vers elle. Maintenant, on peut poser la cloison sèche. »

Dolorès les gronda en agitant un doigt noueux comme une vieille branche.

« — Qu'est-ce que vous avez, tous les deux ? Vous avez l'air de deux corneilles sur un fil. Vous envoyez le même message. »

Del essuya ses mains sur son jean avec l'air de vouloir dire quelque chose.

« — Rien, lança Noreen. On n'a rien. » Ça ne regardait que Del et elle, personne d'autre. « On a un mur à réparer. Et puis après, il faut tirer les joints. Et après, le sabler. Et après, il faut tout repeindre. C'est ça qu'on a. »

« — C'est parfait, dit Dolorès. Alors, pourquoi Lynda est pas dans son assiette ? »

« — Aucune idée. »

« — Elle est fatiguée, leur confia Del. Elle va s'en remettre. »

o

Plus tard, pendant qu'ils prenaient une pause à l'extérieur, Del fixa pensivement les plus hautes branches du grand saule de l'autre côté de la rue, à côté de l'épicerie Shore. Il posa sa tasse entre ses jambes, sur la marche de ciment. « — T'as remboursé ta dette. Tu restes si tu veux. C'est ton choix. »

Noreen observa un camion jaune qui arrivait du lac. De loin, il avait l'air flambant neuf, mais à présent qu'il passait lentement devant eux – le fermier qui le conduisait leva la main en signe de salut, Del leva la sienne en guise de réponse –, elle remarqua que l'aile était plaquée de rouille. Tout bien considéré, il avait l'air pas mal amoché. Dans la boîte du pick-up, un gros chien au pelage mat aboya à leur vue. Puis, le camion traversa en brinquebalant le chemin de fer et disparut sur la grand-route comme un mirage.

Elle dévissa le couvercle de sa bouteille de jus de fruits puis regarda Del.

« — Tu veux pas que je reste ? »

Il lui renvoya son regard. « — J'ai pas dit ça. Et tu le sais. Vois pas de mal où y'en a pas. Tout ce que je dis, c'est que je pense pas te faire une faveur en t'obligeant à rester ici. Je le vois bien, maintenant. J'essayais juste de faire la bonne affaire. Pour toi. Pour… Lynda. » Il prononça son nom d'un ton caressant, comme un mot magique. Il était fou d'elle, c'était clair.

« — C'est pas toi qui m'obliges à rester, dit-elle finalement en plaçant ses mains entre ses genoux et en observant une bestiole remonter une fissure du trottoir. Je suis revenue de mon plein gré, tu te souviens ? »

o

Del partit tôt – la cloison sèche en place, les joints tirés –, en disant qu'il serait de retour à la première heure, le lendemain matin, pour sabler. Ils pourraient ensuite s'attaquer à la peinture. Apparemment, Seth passait la journée et la nuit chez Dolorès ; Lynda avait laissé une note contre la salière sur la table de la cuisine.

Noreen monta à l'étage. La porte de la chambre était entrebâillée, comme si Lynda n'était pas certaine de vouloir de la compagnie. Noreen se foutait de ce qu'elle voulait. Elle ouvrit la porte toute grande, entra sans frapper. Lynda lisait, assise dans son lit. Elle était encore en robe de chambre.

« Je me fous de ce que tu penses de moi, commença-t-elle. Tu peux penser tout ce que tu veux, mais Del est fou de toi. Et il est fou de Seth. Et si tu lui donnes une petite chance, tu seras pas déçue. Mais si tu fais rien, bien, tu mérites juste de vieillir toute seule. Et de te passer d'un homme qui pourrait t'aimer. *Et de te passer de sexe pour le restant de tes jours !* »

Elle quitta Lynda, les yeux encore rivés sur son livre, muette, probablement en rogne. Qui pouvait le savoir ? Noreen claqua la porte de la chambre si fort que le mur en trembla. Après quoi, elle sortit dehors et traversa la rue jusqu'à la cabine téléphonique de l'épicerie Shore.

21

Wesley arriva chez lui après avoir passé la journée à Clear Lake avec Martin. Il vérifia ses messages. Il en avait trois, plus qu'à l'accoutumée. Le premier provenait de sa sœur Cindy, qui vivait à Edmonton. Elle appelait pour prendre des nouvelles, comme elle le faisait parfois le dimanche ; sa voix joyeuse était celle des grandes sœurs qui ne savent pas ce qui se passe avec vous, mais qui, dans tous les cas, s'imaginent le pire. Puis il y avait un message de son propriétaire, lui rappelant que le paiement de son loyer était en retard d'une semaine. Le dernier message lui fit perdre toute sensation dans les jambes. Il tomba plus qu'il ne s'assit sur le sofa. La voix de Noreen – claire comme si elle se tenait dans la pièce – le marqua au fer rouge de la déchirante délicatesse de son souffle en s'échappant du répondeur.

« Wesley, c'est moi, Noreen. Je suis encore à Pembina Lake. Si t'es l'homme que je pense que t'es, tu comprendras qu'il fallait que je me rende jusque-là… jusqu'au point où je peux te dire que je suis profondément désolée pour tout le bordel qu'il y a eu entre nous… bordel que j'ai entièrement foutu… et je réalise maintenant que j'ai besoin… que j'ai besoin de te présenter mes excuses. En personne, ce serait mieux… »

Elle donnait vraiment l'impression d'avoir mûri. Et elle voulait le voir, s'excuser. Elle avait vu une étoile sur un écran, un cœur battant. Elle avait vu une image de leur bébé.

Il sauta dans son camion et atteignit Pembina Lake quarante-cinq minutes plus tard, alors que le voyage aurait dû lui prendre une heure. Son pick-up cahota par-dessus les rails de chemin de fer qui croisaient la grand-route juste avant d'entrer en ville. Là, il examina la rue principale, qui était vide, à l'exception de deux voitures stationnées devant l'épicerie. Il regarda le café où tout semblait fermé. Même les stores étaient tirés. Il alla se garer devant.

Il se sentait encore mécontent et meurtri. Il était prêt à faire demi-tour et à repartir si elle n'avait pas quelque chose de très convaincant à lui dire. Il en avait assez de cette peine d'amour de merde. Qui avait besoin de ça? Mais tandis qu'il restait assis en silence à se demander ce qu'il ferait ensuite, il réalisa aussi que ses attentes étaient grandes, comme s'il avait atteint les rives ensoleillées d'un beau rêve et s'y reposait, ébloui.

22

Après avoir laissé un message à Wesley, Noreen était retournée à sa chambre et avait fermé les yeux, l'imaginant arriver dans l'appartement de Brandon. Il se tiendrait à côté du répondeur et entendrait son message et voudrait peut-être venir la voir. Mais ensuite, assise sur le lit de camp – Lynda toujours drapée dans sa solitude, à l'autre bout du corridor –, elle commença à angoisser. Et s'il se foutait d'elle ? Quoi qu'il en soit, il était vite devenu infernal pour elle de rester assise et d'attendre que quelque chose se passe. Elle avait alors quitté le café et était descendue jusqu'à la plage, sous le soleil.

Une fois là, elle avait commencé à se calmer. Le chalet de Del avait presque l'air paisible dans la lumière de l'après-midi.

Quelqu'un avait sorti le fauteuil de l'eau, l'avait redressé et posé sur la rive, face au lac. Les vagues allaient se briser tout près, rejetant sur le rivage de l'argile, des débris et des filaments de plantes aquatiques mêlés à de l'écume. Des mouettes volaient librement au-dessus d'elle. Un chien aboya au loin. Elle se concentra sur le soleil, la brume de chaleur, le bruit sourd de l'eau verte et dorée, le flanc des collines descendant dans le bassin de la vallée. Le temps qui passait, l'après-midi qui s'écoulait. La vie, le temps, l'après-midi. Et son cœur qui battait. Et cet autre petit cœur qui battait en dedans d'elle.

o

Elle avait somnolé et ignorait combien de temps. Tout ce qu'elle savait, c'était que le soleil était plus bas, qu'il s'accrochait encore au jour et qu'elle avait faim. Alors, elle se leva lentement et commença à marcher en direction du café. Ce faisant, elle parla au bébé qui, avait-elle décidé, devrait être temporairement baptisé.

« Ton père se fout complètement de toi, Star, se plaignit-elle tout haut, aimant le son de ce nom alors qu'il flottait dans l'air. C'est un salaud et un égoïste. »

Puis elle pensa aux cheveux de Wesley et à leur doux parfum. À ses doigts lestes. À son dos nu, irrésistible dans la lumière du matin. À sa patience et à sa façon de prendre soin d'elle, à tout ce qui l'avait à la fois attristée, irritée et rendue heureuse.

Alors qu'elle s'engageait sur la rue principale – le lac murmurant derrière elle et les feuilles des grands arbres se parlant entre elles –, elle vit son pick-up stationné devant le café. Et Wesley assis à l'intérieur. Elle faillit ne pas le reconnaître ; il avait coupé ses longs cheveux. Ils étaient plus courts que les siens !

Il ne la vit pas approcher ; ses yeux étaient clos comme s'il méditait. Une main posée sur son ventre, Noreen redressa les épaules. La vitre du côté passager était ouverte et elle pouvait voir la courbe distincte de ses cils sombres qui reposaient sur ses pommettes.

« — Wesley », dit-elle doucement.

Il sursauta et la regarda droit dans les yeux. Bon, il est fâché pour vrai, pensa-t-elle. Mais au moins, il est ici. Au moins, il est venu jusqu'ici pour me voir, et ça, c'est déjà quelque chose. Peut-être qu'il ne me haït pas. Peut-être que je vais être capable de trouver les bons mots pour lui parler.

Il ouvrit rapidement la portière, sortit du camion et se tint là, les mains dans les poches, regardant par-delà l'épaule de Noreen en direction du lac. Elle s'éloigna légèrement, s'appuya contre la portière ouverte. Confusion, douceur et douleur cuisante remontèrent lentement des profondeurs de son corps. Quand elle crut ne plus pouvoir supporter le silence, il lui demanda finalement : « — T'étais partie marcher ? »

« — J'arrive du lac. Je travaille pour Lynda en ce moment, mais je suis pas sûre de ce que je vais faire après », lui dit-elle tout d'un bloc.

Il la regarda sans broncher. Elle sentit la morsure brûlante de la honte. Elle voulait disparaître. Mais à Pembina Lake, entre un pick-up garé devant un café, des champs de blé à perte de vue et un ciel enflammé de roses, d'ors et d'orangés, il n'y avait nulle part où se cacher. « Excuse-moi, dit-elle enfin très dignement. Excuse-moi pour tout ce que je t'ai fait. »

« — Je suppose que c'est pour ça que je suis venu jusqu'ici, répondit Wesley. Pour entendre ça. » Puis, il ajouta en frappant le sol de son pied : « Tu vas bien ? »

« — J'ai eu des meilleurs jours. Mais on peut dire que ça va. Merci de le demander. »

« — Et... le bébé va bien ? » s'enquit-il en regardant par terre.

« — Star va bien », répondit-elle.

Il leva les yeux. « — Tu l'as baptisée Star ? C'est une fille ? »

Elle n'en avait pas la preuve. Juste la sensation. « — C'est juste un nom en attendant. Je suis enceinte de sept semaines. Sept semaines », répéta-t-elle sur un ton qui en disait long.

« — Le sept chanceux. Ouais ben ça, c'est... »

Il détourna le regard, visiblement incapable de poursuivre. Après un long moment, sentant son regard posé sur lui, il leva les yeux, des yeux remplis de misère nue, de désir, de regret. Le miroir de ce qu'elle ressentait.

« — Je peux te prendre dans mes bras, Noreen ? Est-ce que je peux ? »

23

Wesley se réveilla à six heures, le lendemain matin. Il repoussa le couvre-lit rose de l'étroit lit de camp où ils avaient dormi, blottis l'un contre l'autre ; Noreen et lui s'étaient faufilés en haut de l'escalier, la veille au soir. Il devait être à son chantier de l'autre côté de Brandon à sept heures. Il souleva le bras de Noreen – qu'elle avait posé sur son torse dans son sommeil – et s'assit. Elle marmonna puis se tourna. Il l'aurait laissée dormir, mais après tout ce qui s'était passé depuis son arrivée, il voulait la regarder une dernière fois dans les yeux, question de s'assurer qu'ils avaient retrouvé leur intimité. Alors, il lui caressa doucement les cheveux, ce qui en restait, repoussant les épis rebelles de son front. Bientôt, elle ouvrit les yeux, ahurie.

« — C'est moi », dit-il avec un petit rire.

« — Oh ! bâilla-t-elle en s'asseyant. T'es pas parti. »

« — Tu m'as manqué, murmura-t-il. T'es le plus beau paysage du matin. »

Elle se pencha vers lui et l'embrassa, puis s'appuya contre le mur, le teint pâle, l'air sérieux, deux petits plis froncés entre les sourcils. C'était le visage d'une autre Noreen. Quelque chose dans son nouveau look le rendait mal à l'aise et anxieux. Lentement, son cœur se serra. Elle avait l'air que font les femmes lorsqu'elles en ont assez de vous et se préparent à vous larguer.

24

Noreen était immobile à côté du pick-up. Elle laissa Wesley lui tenir la main. Il ne semblait pas vouloir la lâcher, de peur qu'elle ne s'envole.

« — M'aimes-tu ? lui demanda-t-il. Je dois le savoir. À quoi ça rime ce qui s'est passé cette nuit si tu m'aimes pas ? Pourquoi on aurait fait ça ? »

Le voilà qui refaisait surface, ce vieux désir honteux de vouloir s'enfuir. Elle devait cesser de faire ça, devait trouver un moyen de rester solidement ancrée au sol. Elle inspira à pleins poumons l'air humide du matin, puis expira lentement.

Wesley murmura : « Si tu m'aimes pas, je te laisserai tranquille, je te le promets. Je suis un homme de parole. Et je reviendrai pas. J'en ai plus qu'assez de ce n'importe quoi, Noreen, et je l'endurerai pas plus longtemps. Ça fait que... dis-le-moi tout de suite. »

Sa poitrine lui faisait mal. La nuit dernière, après l'amour si bon, elle était demeurée immobile jusqu'à ce que la respiration de Wesley devienne régulière, ce qui signifiait qu'il dormait. Elle avait alors placé ses mains sur son ventre et tenté d'imaginer comment elle se sentirait quand le bébé se mettrait à bouger au dedans d'elle. Mais elle n'avait pas pu. Et, à présent, elle ne pouvait pas lui dire non plus ce qu'il souhaitait entendre.

Devant le café, Wesley la laissa finalement aller. « T'as mon numéro, dit-il d'un ton formel. Tu m'appelles si t'as besoin de quelque chose. Je pense que c'est mieux comme ça. » Silence. « Comment je m'en sors maintenant ? Parle, s'il te plaît, sinon je vais mourir. »

Elle se pencha à travers la fenêtre et l'embrassa sur la bouche une dernière fois, longtemps, profondément, doucement, amèrement, puis se recula. « — Je pense que je sais pas aimer, Wesley. »

Il la regarda, les yeux dilatés, alors que le soleil surgissait, étincelant, de derrière une montagne de nuages. « — C'est de la foutaise, et tu le sais. Chaque soir, avant de m'endormir, je regarde le beau ciel étoilé que tu m'as fabriqué. Mais tu sais briser les cœurs, Noreen, ça, tu le sais, et je me demande si ça va jamais changer.» Puis il embraya et quitta la ville à toute allure.

o

Toutes les fenêtres du café étaient ouvertes lorsqu'elle rentra. Vêtue d'un long tricot mince et d'un jean, Lynda, encore toute barbouillée de sommeil, se tenait là, un bol de crème glacée à la main.

«— Je me suis réveillée tôt», dit-elle, penaude, en appuyant sa cuiller sur le bol.

«— Moi aussi», répondit Noreen en se demandant ce que Lynda avait vu ou entendu.

«— Il était ici, je le sais. Ça va. Je suis réveillée depuis quatre heures et j'ai vu son camion dans la rue. C'est pas ça qui m'a tenue réveillée. Je réfléchissais, c'est tout. Veux-tu du café? Ça va nous réchauffer. Je viens juste d'en faire.» Elle posa sa crème glacée et contourna le comptoir.

Noreen enfouit ses mains dans les manches du vieux polar bleu de Wesley, s'assit sur un tabouret et regarda Lynda prendre son temps pour lui verser un café.

«— La mort blanche, dit-elle, un sourire en coin, en poussant le sucre dans sa direction. Tu te souviens? C'est une des premières choses que tu m'as dites, poursuivit-elle, faussement enjouée, comme si elle se remémorait un souvenir impérissable. Le soir que t'es arrivée ici. Ça fait combien de temps ? Douze, treize jours ? »

« — Plutôt dix. Je les ai comptés. » Noreen versa du sucre dans sa cuiller.

« — Le temps, hein ? Ça nous joue des tours. Il me semble que j'avais encore ton âge, y'a pas si longtemps. Mais ça fait vingt ans. Maman m'a élevée toute seule, tu sais. Elle s'habillait comme... Je saurais pas dire exactement, mais disons qu'elle était ce qu'on appelle un authentique esprit libre. Elle enseignait à l'école secondaire de Willow Point. Elle avait une liaison amoureuse épisodique avec l'ex-propriétaire du café. Il était beaucoup plus vieux qu'elle, mais c'est lui qui l'a enterrée. Peux-tu croire ? » Lynda fit une pause, puis poursuivit avec un grand sourire. « Y'a des choses qu'on n'imaginerait jamais voir arriver. Mais elles arrivent. Savais-tu qu'il m'a légué le café dans son testament ? »

Noreen, qui continuait de verser du sucre, s'arrêta à la cuillerée numéro quatre. Et puis l'évidence se faufila dans son esprit, la raison pour laquelle Lynda revenait sur tous ces lourds souvenirs du passé.

« — Je comprends, dit-elle. Tu t'en vas, c'est ça ? »

Les yeux de Lynda affichèrent une sorte d'étonnement. « — J'y pense. » Elle détourna le regard. « Comment t'as fait pour t'en rendre compte ? »

« — Coup de chance. »

Cette fois, Lynda chercha son regard. « — J'en peux plus. Je suis plus capable. Je devrais peut-être retourner enseigner et mener une vie plus rangée. »

« — Connerie ! s'exclama Noreen en fixant le visage stupéfait de Lynda. Tout ce que je t'ai dit hier soir est vrai. Tu veux t'enfuir et retourner enseigner ? C'est complètement débile ! Où ça va te mener ? Del est fou de toi, au cas où tu m'aurais pas écoutée la première fois. Il t'a vue dans tes pires moments, mais ça l'empêche pas de revenir. » Elle regarda la peau de Lynda se colorer, rougir par petites plaques le long de son cou, derrière ses taches de rousseur. « Et Seth, là-dedans ? Del est comme un père pour lui. Et Dolorès et Mary sont comme ses grands-mères. »

« — Je sais pas... Je suppose que... » Lynda était dans tous ses états, ne savait pas quoi faire de ses mains, ne savait pas où poser son regard. Ses yeux étaient emplis de larmes. La voix brisée, elle chuchota : « C'est ma fête, aujourd'hui. »

« — Alors, on va fêter. »

« — Je suis une vieille peau de trente-sept ans. »

« — C'est pas mal vieux, mais pas assez pour aller se cacher. »

« — Je me sens tellement seule et déprimée. »

Noreen tendit la main et tira sur une serviette de papier dans le distributeur, qui voleta comme un oiseau. « — Fais pas ça, Lynda. Sauve-toi pas. Fie-toi à mon expérience personnelle. Si tu fais ça, tu vas le regretter. »

25

La queue ballante et la langue pendue, Tessie marchait au pas devant Seth, Mary et Dolorès. Noreen regarda la petite procession remonter la rue et se dit que la vie était étrange, qu'on ne pouvait rien prédire. Qui aurait cru qu'elle se tiendrait là, sur un trottoir défoncé, aux côtés d'une ex-prof dépressive, dans une petite ville de merde, à regarder un cultivateur mal habillé décharger un carton long et étroit de la boîte de son camion, tout en espérant que, quelle que soit cette surprise, elle contribuerait à changer le cours des choses avant qu'il ne soit trop tard?

Seth courut en avant, tout excité. « — Qu'est-ce que c'est? Qu'est-ce que c'est? Montre-le-moi! »

« — Pousse-toi, Seth, dit Del. C'est pour ta mère. » Dolorès, Mary et Tessie arrivèrent au moment où Del tirait la longue boîte de carton de l'arrière de son camion. Il la leva, la posa à la verticale sur le trottoir et dit : « O.K., Seth. Maintenant, aide-moi à l'ouvrir. On va se faire un petit dévoilement maison. »

Une fois sorti de la boîte et débarrassé du papier d'emballage, le contenu se révéla être une enseigne. En lettres blanches, peintes à la main sur un fond bleu marin, on pouvait y lire : CHEZ LYNDA – BISTRO GOURMAND.

« En espérant que le changement de nom te gêne pas, dit Del. Sauf le respect qu'on doit à Molly Thorvaldson, ton ancêtre, elle est le passé. Toi, tu es l'avenir. »

Noreen, qui se tenait à côté de Lynda, fit un clin d'œil à Del, dont le sourire traduisait la joie, mais les yeux, l'incertitude.

« — C'est super, Del. C'est très beau ! » déclara Noreen d'un ton passionné puisque personne n'avait encore rien dit. Personne. Pas même Dolorès, qui restait plantée là, dans l'attente, semblait-il, que quelque chose se passe.

Del avait baissé les yeux. « — C'est l'œuvre de Joe Vandenberghe. Je lui ai dit que c'était urgent. La peinture est à peine sèche. » Il toucha l'enseigne du bout des doigts.

« — Maman, la supplia Seth, peux-tu s'il te plaît lui dire que tu trouves ça beau ? »

Lynda réussit à articuler : « — Merci, Del. » Puis elle tendit sa main rousselée et caressa lentement l'enseigne.

Del jeta un œil vers Noreen puis de nouveau vers Lynda. Il ôta son chapeau, le fit claquer contre sa jambe et sourit. « — En tous les cas, bonne fête, Lynda. »

26

Noreen entra dans le café et se dirigea tout droit vers la salle de bain attenante à la cuisine, ferma la porte et se regarda dans le miroir. Elle ouvrit le robinet, se rinça la bouche, éclaboussa son visage d'eau. Après quoi, elle s'assit sur la toilette, plongea ses doigts dans ses cheveux, se pencha vers l'avant et regarda ses pieds, laissant l'inquiétude l'envahir par vagues froides.

Elle se leva, descendit son pantalon pour uriner. Assise sur la lunette, elle se sentit soudain très vieille. Elle baissa les yeux sur sa petite culotte. Il y avait du sang, plus que la première fois. La vue du sang lui fit tourner la tête. Le médecin lui avait dit que quelques pertes étaient normales. Qu'est-ce qui était normal ? À partir de quand était-ce trop ?

Elle monta à sa chambre, ôta ses vêtements, enfila des sous-vêtements propres et un grand t-shirt et se mit au lit. Elle tira sur son visage le bout de drap encore imprégné de l'odeur de Wesley, de sa sueur, de son après-rasage et du musc profond, doux et intoxicant de leurs ébats amoureux.

Dehors, elle entendit Dolorès dire quelque chose à Mary, qui se mit à rire.

« — Ah ! s'exclama Dolorès dont la voix lui provenait par la fenêtre. Tu m'as crue ! »

« — Pas du tout ! » répondit Mary.

« — Oui. Je t'ai fait marcher. Avoue-le. »

Noreen rabattit la couverture par-dessus sa tête, se recroquevilla en frissonnant. De fortes crampes tiraillaient son ventre, comme pendant ses menstruations. Elle s'étendit sur le dos et commença à prier. Elle demanda à la Femme Dieu de prendre les choses en mains puisqu'elle, Noreen, n'était visiblement pas capable de le faire.

Puis, en songeant à remettre son destin entre les mains de la Toute-Puissante, elle fut envahie par une terrible migraine. Elle pensa aux éclairs, au tonnerre, à la pluie, au vaste ciel, et s'imagina flottant dans les bras de la Déesse. La Femme Dieu était large, bien en chair, aussi sombre que les nuages et avait une belle voix profonde. Elle pouvait chanter pour vous, vous libérer de vos souffrances, puis vous emporter vers un endroit réconfortant.

Une demi-heure plus tard, Noreen ouvrit les yeux. Elle se sentait un peu mieux. Elle percevait le son réconfortant des discussions et des rires provenant de la cuisine et l'odeur du café fraîchement moulu. Dehors, une faible brise apportait le parfum de la pluie. Elle enfila son jean et descendit à la cuisine.

Ils étaient tous assis autour de la table : Lynda, Seth, Del, Mary et Dolorès. Quelqu'un avait apporté un gâteau orné de bougies roses. Lynda leva les yeux vers elle et lui sourit d'un air coupable.

Seth dit : « — On t'attendait. Pourquoi t'es allée te coucher ? »

Noreen s'assit avec eux, mais ne répondit pas. Del se pencha vers le gâteau, alluma les bougies et se rassit. Dolorès commença à chanter *Bonne fête*, qu'ils entonnèrent tous en chœur, puis Lynda souffla ses bougies.

Noreen se leva de table et remonta à l'étage, où elle ramassa son sac à dos. Elle trouva de la monnaie éparpillée au fond, la fourra dans sa poche, redescendit et se dirigea vers la porte latérale.

« —Tu manges pas de gâteau avec nous, ma chouette ? »

« — Il faut que j'y aille, dit-elle en s'adressant à la ronde. J'ai quelque chose à faire. »

Elle sortit et courut jusqu'à l'épicerie Shore. Il était assez tôt ; Gladys ne serait pas encore partie travailler.

La ligne grésilla et le téléphone sonna plusieurs fois. Gladys n'avait pas de répondeur. À la sixième sonnerie, elle répondit, hors d'haleine, comme si elle avait couru.

« Gladys, c'est Noreen. Dis rien et raccroche-moi pas au nez même si t'es en maudit contre moi. J'ai des choses à te dire. Si tu me détestes encore après m'avoir écoutée, ça sera tes affaires. Mais j'ai vraiment besoin de te parler. Et j'espère que j'ai assez de monnaie pour passer au travers. »

27

Lorsqu'elle revint au café, on aurait dit des funérailles. Tout le monde était encore assis autour de la table – sauf Seth, qui avait disparu –, mais ils faisaient tous une tête d'enterrement. Dolorès regardait ses mains, jouait avec ses bagues, soupirait. Mary se frottait les yeux. Del, les yeux rouges, fixait un point invisible dans la pièce. Le visage de Lynda était marbré de pleurs. Il n'était pas difficile de deviner ce qui s'était passé.

Noreen vit Seth à travers la porte-moustiquaire, assis avec Tessie sur les marches qui menaient à la cour arrière. Son petit bras entourait la chienne, assise bien droite et immobile comme un soldat à côté de lui, sauf quand elle se penchait pour lui lécher le visage. Noreen ouvrit doucement la porte, se glissa dehors et s'assit à côté d'eux.

« C'est le jour le plus épouvantable de ma vie, dit Seth en appuyant sa tête contre elle. Ma maman a dit qu'elle allait fermer le café. Si on déménage, je vais plus pouvoir voir personne, ni Del, ni tante Dolorès, ni tante Mary. Ni même toi. C'est pas juste, Noreen. »

Tessie descendit dans la cour, tourna en rond, la tête basse, puis revint vers eux et s'assit à leurs pieds. Noreen passa son bras autour de Seth et le tint contre elle.

28

Elle n'eut pas mal. Comme c'était étrange ! Elle n'arrivait pas à croire qu'un caillot de cette taille pouvait sortir de son corps. Mary et Del étaient retournés chez eux, et Dolorès était restée pour parler à Lynda. Seth était à l'étage, sans doute assis devant la télé dans un état comateux. Elle était allée à la salle de bain parce qu'elle avait senti que quelque chose clochait et, à présent, elle savait que ce qui se passait n'était pas normal. Ne pouvait pas l'être. Très vite, elle dut se rasseoir sur la toilette puisque deux autres gros caillots glissaient hors d'elle. Des morceaux de son bébé – elle en était convaincue –, des morceaux de Star.

Elle remonta son pantalon, alla jusqu'à la porte de la salle de bain, l'ouvrit.

« — Quelque chose vient de se passer ! » cria-t-elle, l'air hébété.

Dolorès se leva si vite qu'elle renversa sa chaise. Lynda la contourna maladroitement, et toutes deux s'entassèrent dans la salle de bain.

Mais les dés étaient joués et Noreen le savait. Il n'y avait plus rien à faire. Elle se tourna vers Dolorès, qui lui dit : « — Veux-tu que j'appelle Wesley ? »

« — Il viendra pas, dit Noreen, dont le cœur se brisa enfin. Il viendra pas parce que je lui ai dit de s'en aller. »

« — Petite oie blanche, murmura Dolorès en la serrant dans ses bras et en la berçant d'avant en arrière. Bien sûr qu'il va venir. Il te décrocherait la lune si tu lui demandais. Donne-moi son numéro que j'aille lui téléphoner. »

o

Un quartier de lune brillait au-dessus de l'eau. Elle était assise sur le patio de Del et admirait le lac, s'attachant à ses reflets, les imprimant en dedans d'elle.

Wesley, arrivé moins d'une heure après le téléphone de Dolorès, la borda dans les couvertures puis s'éloigna, revint et s'éloigna de nouveau, faisant les cent pas entre le patio et l'intérieur du chalet. Chaque fois, il posa ses mains sur ses épaules, ou s'agenouilla, ou l'étreignit, ou caressa son bras, ou embrassa son front. Puis, il s'éloigna pendant un moment.

Une fête – une étrange célébration funèbre – se déroulait autour d'elle. Pour Star. Pour le café de Lynda. Del était allé à Willow Point acheter de la pizza pour tout le monde. Il lui en apporta une pointe et se tint gravement à côté d'elle tandis qu'elle l'engloutissait.

« — Ton chum et toi, vous pouvez rester au chalet, ce soir. Question d'avoir du temps juste pour vous deux. »

Il partit et réapparut bientôt avec un sandwich à la crème glacée. Il ôta l'emballage avant de le lui tendre. « T'es jeune. T'auras un autre bébé. »

Dolorès l'entendit de loin et lui lança : « — Delbert, arrête de tourner le fer dans la plaie avec tes phrases pleines de bonnes intentions. »

« — Excuse-moi », dit-il avec l'air d'un homme qui vient de commettre un crime.

Noreen attrapa sa main et la porta à sa joue. « — Je gâche toujours tout, chuchota-t-elle. Je suis même pas capable d'avoir un bébé normalement. »

Il s'accroupit à ses côtés. « — C'est comme ça depuis que le monde est monde, murmura-t-il à son tour. Tout le monde y passe, fillette. »

Elle se pencha vers lui, jeta ses bras autour de son cou – sentit l'odeur du fromage à pizza – et le serra contre elle. Il lui rendit son étreinte, d'abord de façon hésitante, puis en lui donnant plusieurs tapes maladroites mais chaleureuses dans le dos.

Une idée surgit dans l'esprit de Noreen. Une idée créative. Une idée puissante. Tant pis, se dit-elle. J'ai plus rien à perdre. « — Del, lui souffla-t-elle à l'oreille, Lynda est en amour avec toi. Complètement. Elle est folle de toi. »

Les bras de l'homme retombèrent, et il eut un mouvement de recul, comme si elle lui avait envoyé une décharge électrique à travers le corps. Il se remit sur ses pieds en chancelant. Noreen le soumit à la fixité de son regard, le soumit comme une déesse qui fait don de l'amour au guerrier. Puis elle l'observa s'éloigner et disparaître à travers les ombres, derrière le chalet. Son pick-up démarra. Elle l'entendit prendre la route quand la terre revola sous l'action des roues. Puis elle tourna son visage vers le firmament, vers la nuit brillante et étoilée.

o

Plus tard, quand ils se mirent au lit, Wesley la tint serrée contre lui. « — J'ai jamais pu le voir, murmura-t-il. Le petit cœur battant. Dis-moi encore de quoi il avait l'air. »

« — D'une étincelle de lumière. Qui scintillait. »

« — C'est pour ça qu'elle ressemblait à une star ? »

« — Oui. »

« — Est-ce qu'on voyait que c'était à l'intérieur d'un bébé ? »

« — C'était dur à dire. »

« — Et c'était beau ? »

« — C'était… puissant. »

« — Ça fait que t'auras pas de bébé. »

La solitude l'envahit au creux des bras de Wesley, et elle fixa le plafond.

« — Non. Elle est partie. » Tournant sa tête sur l'oreiller, elle fixa le profil sombre du grand Cri pendant un bon moment. « S'il te plaît, dis-moi pas que je peux en avoir une autre. Je la voulais *elle*. Peux-tu comprendre ça ? Il y en avait juste une comme elle. »

Wesley se tourna pour la regarder. « — Comme sa mère. »

o

Tôt le lendemain matin, ils allèrent à la clinique de Willow Point. Le médecin de service n'était pas la femme qu'elle avait vue la première fois.

« — Il n'y a pas lieu de s'inquiéter, dit-il. C'est très fréquent les deux premiers mois. Il y a peut-être eu un problème de chromosomes. En tout cas, votre fertilité n'en sera pas affectée. Mais il serait indiqué d'attendre un peu. Un bon moment, même. Avant de vous réessayer.

S'il vous plaît, rendez-vous ce service-là. Vous avez la vie devant vous. Je vois beaucoup trop d'adolescentes enceintes, ici. Et la plupart d'entre elles, bien sûr, décident de ne pas aller jusqu'au bout... » Il s'arrêta, jeta un regard à Noreen, puis à Wesley. « Désolé. Je suppose qu'à la lumière de votre situation, ce n'est pas très délicat de ma part de vous dire ça. »

Noreen pensa qu'en effet, c'était le cas, mais elle dit plutôt : « — C'est tout ? »

« — J'ai bien peur que oui. Vous allez devoir passer un autre ultrason, juste pour s'assurer qu'il ne reste rien. Aucun tissu subsistant. »

« — Si je comprends bien, les tissus subsistants seraient ce qui reste de mon bébé. »

« — Exact », répondit le docteur d'un air ahuri.

« — Si c'est ça, vous pouvez laisser faire. J'ai pas besoin de regarder un écran vide pour le savoir. »

Wesley la suivit jusqu'au camion. Ils restèrent assis en silence un long moment avant qu'il ne démarre le moteur, recule et reparte en direction de Pembina Lake. Sur le chemin du retour, elle aurait voulu lui dire quelque chose, lui dire à quel point elle se sentait vide et honteuse, à quel point elle ignorait ce qu'elle pouvait faire pour arranger les choses après le gâchis qu'elle avait causé dans la vie de tout le monde.

La main de Wesley trouva la sienne. Leurs mains fusionnèrent sur la banquette.

« — Promets-moi que tu vas retourner voir le docteur si c'est nécessaire, dit-il en rompant le silence. Ou quelqu'un d'autre. Je veux pas te perdre, toi aussi. »

« — Tu me perdras pas, Wesley ! s'écria-t-elle, irritée. Je t'aime, pour l'amour du ciel ! »

Et voilà, c'était sorti. Clair comme le jour. Au beau milieu de sa distraction et de sa tristesse, les mots lui avaient échappé. Mais elle se sentait bien. Elle sentait seulement une légère sensation, comme si une aile avait brièvement caressé son cœur et s'était envolée.

29

En route vers le chalet, ils passèrent devant le café. Tout était fermé, mais le pick-up vert était garé devant et Del n'était nulle part en vue. Au-dessus de la porte, la lumière était encore allumée, comme si elle n'avait pas été éteinte depuis la veille au soir. Noreen étira le cou tandis qu'ils dépassaient la bâtisse de brique. Elle tenta d'apercevoir un mouvement derrière la fenêtre, mais elle ne put rien deviner. Le camion de Del était-il déjà là quand Wesley et elle étaient passés devant le café, en route vers la clinique ? Elle ne s'en souvenait pas.

« — Qu'est-ce qu'il y a ? » demanda Wesley.

« — Je suis pas certaine, répondit Noreen. Oublie ça, continue. »

Elle se cala dans son siège, et ils poursuivirent leur route le long du lac. Le lac Pembina, aux eaux vert foncé, dont les vagues écumantes déferlaient sur le rivage, en contrebas. Le parfum de la pluie était dans l'air.

« — Temps de chien », marmonna Wesley. Il fit une pause. Puis, se tournant vers elle : « Tu reviens vivre avec moi à Brandon, hein ? Puisque tu m'aimes... Je t'ai bien entendue, oui ? »

« — Wesley, dit fermement Noreen, j'ai des choses à régler. Ma vie tourne pas juste autour de toi, tu sais. »

« — Venant d'une fille qui est pas un cadeau, je vais prendre ça comme un oui déguisé », sourit Wesley en regardant le lac et les hautes nuées menaçantes, qui arrivaient du sud et se dirigeaient vers eux.

À mi-chemin du chalet, ils découvrirent Dolorès et Seth marchant sur le bord de la route. Ils transportaient des seaux de plastique pleins à ras bord de baies noires. Wesley s'arrêta sur l'accotement et Noreen ouvrit la portière. « — On vous emmène ? »

Dolorès était à bout de souffle. Elle prit Seth dans ses bras et le tendit à Noreen, qui l'attrapa par les aisselles et le hissa dans le camion ; il s'écrasa sur ses genoux. Dolorès monta dans le pick-up et s'assit dans un grognement, déposant les seaux pleins de baies à ses pieds. « — Je m'en vais à l'Île-du-Prince-Édouard la semaine prochaine, annonça-t-elle joyeusement. Avec Mary. On s'en va voir son arrière-petite-fille. Elle voulait pas prendre l'avion toute seule, voyez-vous. Elle a eu des problèmes de santé qui l'ont rendue craintive. De toute façon… » Elle lissa les plis de son pantalon marron avec sa main, les regardant tous deux, tour à tour. « Il est temps que j'aie un peu de fun, moi aussi. On n'est jamais trop vieux, d'après ce qu'ils disent. Ça fait que tu nous quittes, ma chouette ? » Elle n'attendit pas sa réponse. « Tu peux toujours revenir nous visiter, tu sais. On bouge pas d'ici. À part, bien sûr, pour notre voyage dans les Maritimes. Je vais manger du homard. Pour la première fois de ma vie. Oh ! on est arrivés, enchaîna-t-elle gaiement. On dirait qu'il va encore pleuvoir. Bon bien, tu vas m'aider à faire mes tartes aux petites poires comme un grand garçon, Seth. C'est le temps idéal pour travailler en dedans. Tout un mois de juillet, hein ? »

Une fois de plus, Wesley se rangea sur l'accotement. Dolorès ouvrit la portière toute grande. Pressé, Seth sortit sans dire au revoir. Il se laissa glisser hors du camion, atterrit sur le sol et se mit à courir et à sauter, son short et son t-shirt verts se confondant avec les feuilles, les herbes, les ombres et la pluie, qui venait de se mettre à tomber.

Avant de descendre du véhicule, Dolorès étreignit rapidement Noreen. « T'es plus une étrangère, maintenant. Fais-toi pas trop rare. »

30

Dans le chalet de Del, Noreen regardait le tapis bleu, brûlé et déchiré. Pas très beau à voir. À la lumière du jour, c'était même pire que dans son souvenir.

« — Qu'est-ce qui s'est passé, ici ? » demanda Wesley, qui arrivait derrière elle.

« — C'est une longue histoire. »

Il émit un sifflement grave. « — C'est toi qui as fait ça ? Qui as brûlé le tapis ? »

« — Oui. C'est moi. T'en fais pas, j'ai fait bien pire, Wesley. »

Elle trouva un stylo rouge dans son sac. Elle sortit aussi les rapports qu'elle avait écrits pour Del et les feuilleta. Rien de ce qu'ils contenaient ne valait la peine qu'il en prenne connaissance, surtout pas en ce moment. Elle pensa à la lumière au-dessus de la porte du café ; si elle était encore allumée, c'est qu'elle avait enfin réussi à faire quelque chose de bien dans cette petite ville.

Elle arracha une feuille vierge à son cahier et réfléchit une minute à ce qu'elle pourrait lui écrire. Puis elle sourit et dessina un gros cœur. Il n'y avait rien d'autre à ajouter.

La collection Deux solitudes, jeunesse

Après avoir créé en 1978, la collection des Deux Solitudes, dirigée par Mme Michelle Tisseyre, afin de faire connaître au Canada français les grands auteurs anglophones – tels Robertson Davies, Margaret Laurence, Mordecai Richler –, les Éditions Pierre Tisseyre ont décidé de mettre sur pied, en 1980, la collection Deux solitudes, jeunesse.

La collection Deux solitudes, jeunesse a pour but de faire connaître aux jeunes lecteurs francophones du Québec et des autres provinces les romans les plus importants de la littérature canadienne-anglaise pour la jeunesse. Déjà plus d'une trentaine de titres, choisis pour leur qualité littéraire et leur originalité, font honneur à cette collection, dont les romans de Kit Pearson, Bryan Doyle, Frank O'Keeffe, Margaret Buffie, et la merveilleuse série des *Émilie de la Nouvelle Lune* de Lucy Maud Montgomery, en quatre volumes.

À l'automne 1998, les Éditions Pierre Tisseyre ont relancé la collection Deux solitudes, jeunesse dans le but d'offrir aux jeunes lecteurs francophones et aux étudiants, de plus en plus nombreux dans les classes d'immersion, des romans qui leur ouvrent de nouveaux horizons et qui leur permettent d'apprécier une culture à la fois si proche et si différente de la leur.

Martha Brooks

Romancière, dramaturge et nouvelliste, Martha Brooks est aussi chanteuse de jazz et parolière. Elle a été nominée trois fois aux Prix du Gouverneur Général et a remporté le Prix Ruth Schwartz, le Prix du livre jeunesse M. Christie et le Prix du livre pour adolescents de l'Association des bibliothèques du Canada. *Confessions d'une fille sans cœur* est son septième roman pour ados. Elle habite Winnipeg, au Manitoba, avec son mari, Brian.

Dominick Parenteau-Lebeuf

Diplômée d'écriture dramatique de l'École nationale de théâtre, Dominick Parenteau-Lebeuf se consacre depuis dix ans à l'écriture de fiction et à la traduction. Plusieurs de ses pièces ont été lues ou produites tant au Québec qu'au Canada français et qu'en Europe. Citons notamment *Poème pour une nuit d'anniversaire*, *L'Autoroute*, *Dévoilement devant notaire* et *Portrait chinois d'une imposteure*, toutes publiées chez Lansman Éditeur. Elle habite Montréal.

Collection Deux solitudes, jeunesse

1. **Cher Bruce Springsteen**
   de Kevin Major
   traduit par
   Marie-Andrée Clermont
2. **Loin du rivage**
   de Kevin Major
   traduit par
   Michelle Tisseyre
3. **La fille à la mini-moto**
   de Claire Mackay
   traduit par
   Michelle Tisseyre
4. **Café Paradiso**
   de Martha Brooks
   traduit par
   Marie-Andrée Clermont
6. **Du temps au bout des doigts**
   de Kit Pearson
   traduit par
   Hélène Filion
7. **Le fantôme de Val-Robert**
   de Beverley Spencer
   traduit par
   Martine Gagnon
8. **Émilie de la nouvelle Lune**
   de Lucy Maud Montgomery
   traduit par
   Paule Daveluy
   (4 tomes)
12. **Le ciel croule**
   de Kit Pearson
   traduit par
   Michelle Robinson
13. **Le bagarreur**
   de Diana Wieler
   traduit par
   Marie-Andrée Clermont
15. **Je t'attends à Peggy's Cove**
   de Brian Doyle
   traduit par
   Claude Aubry
   Prix de la traduction du Conseil des Arts 1983
   Certificat d'honneur IBBY pour la traduction
16. **Les commandos de la télé**
   de Sonia Craddock
   traduit par
   Cécile Gagnon
17. **La vie facile**
   de Brian Doyle
   traduit par
   Michelle Robinson
18. **Comme un cheval sauvage**
   de Marilyn Halvorson
   traduit par
   Paule Daveluy